子どもの長所を伸ばす
5つの習慣

石田勝紀

集英社

はじめに

あなたは子どもの長所をいくつ言えますか

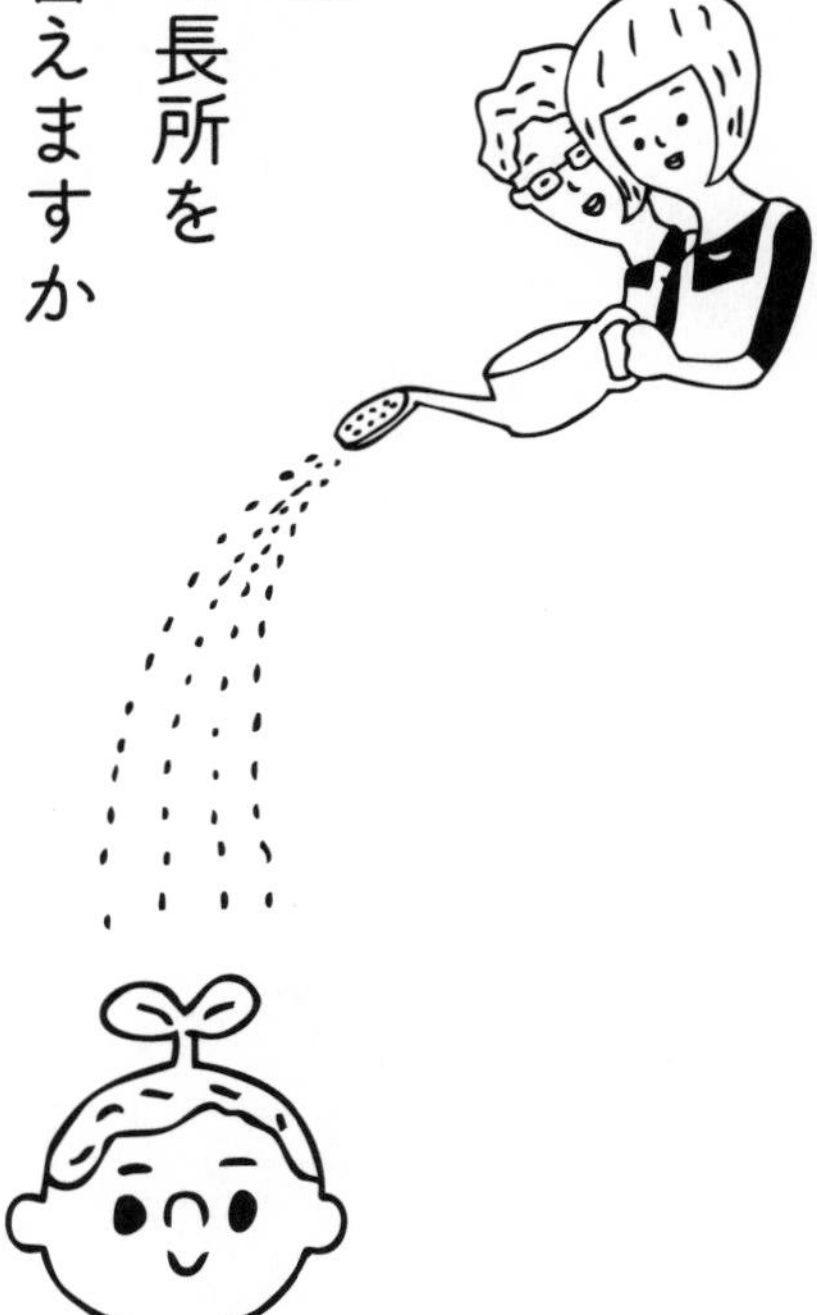

いきなりですが、みなさんに質問です。

あなたのお子さんの長所は、何ですか？

制限時間は1分としましょう。3つ、4つといわず、いくつでもいいですよ。さあ、考えてみてください。


いかがでしょう？

お子さんの長所を、さっと思いつきましたか？


では、もうひとつ質問をします。

あなたのお子さんの短所を教えてください。思い浮かぶ何かがあるでしょうか？


今度はどうでしょう？


「短所はたくさん思いつくんだけど…」

「長所は見つからないけど、短所ならいっぱいあります」

「長所なんて、うちの子にはないです」

たいてい、こんな答えが返ってきます。どんなに教育熱心な親でも、子どもの短所を指摘するのは簡単なのですが、長所を見つけるのはどうやら不得手のようです。

なぜ、長所はなかなか思いつかないのでしょう？

実は、長所というのは、親が見て「当たり前にできている」と思いがちなことが多いからです。答えようと思ったって、すぐには気づかないわけです。

いっぽう、短所はというと、日常生活のなかで目につく苦手なことに結びつけると、いくらでも出てきそうです。**わが子に「苦手分野を克服してほしい」と願うあまり、知らず知らずのうちに、親は子どもの短所ばかりに目がいってしまうのです。**

もちろん、ママたちは注意せずにはいられませんね。

「そんなことじゃダメじゃない！」

「何度言ったらわかるの！」

「今のうちに直さないと、一生苦労するわよ」

「平均点以下なんて、恥ずかしいね」
「また間違えたんだ」
「それで急いでいるつもり?」

こんな言葉づかいから伝わるのは、「今のままでは問題があるから、早く直してあげなくては!」というお母さんたちの熱い思いです。

かくいう私にも、ふたりの男子がおります。ですからわが子を大切に思う親が、子どもの欠点を直したいことは、よくわかります。

しかしこんなとき、実は、心のなかで子どもを非難する感情も渦巻いているのではないでしょうか?

「うちの子はやっぱりダメなのか」
「何をするにも時間がかかるなぁ」
「こんなことも満足にできないなんて」

「せめて平均点くらいはとってきてほしい」
「すぐにあきらめるクセがある…」

愛するわが子を否定するなんて、内心穏やかではないのですが、目の前の子どもの行動を見るうち欠点ばかりが際立って、ついそれを責め立てる言葉が出てしまう。子どもを否定する「短所口撃」です。

こんな「短所いじり」が、子どもの心をへし折り、学力を落としている原因だとしたら、あなたはどう感じますか？

私は20歳のときに学習塾を開業し、これまで３５００人以上の子どもたちに直接指導してきました。講演やセミナーを含めると、教えた子どもの数はのべ5万人にのぼります。そこで出会ったたくさんの親子に触れて確信したことは、

・親の短所いじりが子どもの才能をつぶしている

・長所を伸ばすことで子どもの学力や才能はぐんぐん伸びていく

という事実でした。

これには「自己肯定感」が関係しています。

自己肯定感とは、自分を肯定する気持ちを持つことです。「自分のことを価値がある人間である、素直に大切な存在であると信じる心」だと私は捉えています。

自分のことを好きだと感じ、自分に自信を持っている、ポジティブな気持ちです。

自己肯定感が高い子どもは、

・進んで勉強ができる
・自分の意見をきちんと伝えられる
・むやみに傷つかない
・人にも自分にも寛容（やさしい）

・失敗をおそれない
・無用ないさかいをしない…

などなどの「よいところ」がたくさんあります。

自分を信頼できるのと同時に、他人のことや、自分をとりまく世界のことも信じられるため、協調性が高く、おのずと物事を楽観的に考えるクセがついています。

多くの経験を通して、失敗に対して耐性ができており、進んで挑戦を楽しみます。こうして、トライ&エラーを繰り返しながら、成功のチャンスを広げていくのです。

自己肯定感が高い子どもは「幸せな人生を自分でつかむ土台」ができているのです。

子どもの自己肯定感を高める方法については、拙著『子どもの自己肯定感を高める10の魔法のことば』（集英社刊）に詳しく書いていますので、ぜひご一読ください。

さて、話は少し変わります。

2020年春から、新型コロナウイルス感染症が世界中を席巻《せっけん》し、だれもが想定しない災禍のなかで生きていかざるを得なくなりました。

コロナがもたらしたある種の強制的な社会の変化は、世界情勢や経済の流れのみならず、私たちの生活そのもの、意識をも大きく変容させ続けています。

混乱する状況下で、いくつもの新しいルールや仕組みが試され、淘汰を重ねながら生き残る個人や組織が評価されることになるでしょう。

もちろん教育の世界でも、授業や講義のリモート化、試験のオンライン化など、目まぐるしい変革が起きています。

ポストコロナの世界は、われわれが体験したことのない未曽有の空間になることは容易に想像ができます。

21世紀に入ってすでに20年が過ぎ、教育や子育てのメソッドは徐々に変化してきました。しかしそのゆるやかな変化は、コロナ禍により想定外のスピードで進み、これまでなかった常識へ着地するでしょう。いや、何を以って着地となるのかさえわかりません。

ただひとつ確かなことは、ポストコロナの時代に求められるのは、大量生産、大量消費の時代に重宝された「人と同じであること」ではないということです。

昭和の時代のサラリーマンのように、大企業の一員を目指そう、多数派のつくるスキームに乗って無難に世渡りをしよう、そんな時代遅れのたらい船に乗ってみたって、もう明るい航路は見えません。日本だけにあった「終身雇用」という雇用常識は、遠くない未来に崩れ去っていくでしょう。

そうでなくたって、インターネット社会の成熟により、日本でも働き方の様式が大きく変わってきています。だれもが情報発信をできるようになりましたし、どこにいたってあらゆる情報を集められるようになりました。

オフィスへ出かけなくてもリモートで仕事はできますし、世界中の人たちとリアルタイムでつながることができるのです。こうした変化が、社会と働き方を大きく変えていきます。

自分が好きなことを仕事にするチャンスは増し、自分にしかできないこと、個人の個性や能力が、より明確に問われる社会がやってくるのです。

そんな新しい時代を生きる子どもに求められるのは「知識をフレキシブルに使って、個性を生かす」能力です。言い換えれば「いくつになっても、どんなところでも、強く楽しく生き抜いていく力を磨いた人間」でしょう。

私が講演会やオンライン配信でそんな話をすると、多くの親御さんが不安げな面持ちでこうおっしゃいます。

「うちの子には、そんな特別な才能や能力なんかありません。世の中が変わるなら、よけいに人並みのことをできるようにさせなければと思ってしまいます」と。

親御さんが思い描く「特別な能力や才能」とは、たとえば10代のプロ棋士、天才ジュニアゴルファー、テレビで話題のキッズプログラマー、若き画家やデザイナーでしょうか。しかし、ごく一部の天才やトップアスリート、クリエイターたちをひきあいに「うちの子は天才ではないので、これまでどおり一般常識を叩き込んでいきます」と決め込むのはいかがなものでしょう？

「子どもはみんな天才です」

こんな大げさなことを言うつもりはありません。でも、**子どもたちはみんな、その子ならではの才能のかけら、個性的な能力の種子を持っています。**それはとてもささやかで、さりげないため、ほとんどの親御さんが見過ごしてしまいがちです。欠点や短所だと見誤っているケースも、大変多い。

子育てには、正解はありません。しかし、子育てに「大間違いはある」と知っておいてください。

この本は、冒頭の設問に答えられなかった親御さん向けに書きました。今まで気づかなかった長所を伸ばすと、子どもの成績がぐんぐん上がる。これは、実証済みのこと、間違いありません。

ですから、まずは、この本で提案する習慣を試してみてください。そのうち、子どもだけでなく、ママさんやパパさんの笑顔まで輝いていくはずです。

さあ、楽しい未来へ向けて、いっしょに始めてみましょう。

考える母

ウチの子の長所かぁ・・・・
うーん・・・
そして・・・
うーん・・・・・・
時は流れ・・・・・・・・
ひとつあるかも！
あっ
すでに成人
ハァ
どんだけ見つけられんのよ・・・

子どもの長所を伸ばす
5つの習慣

目次

目次

第2章

第3章

子どもの長所が見つかる5つの習慣 083

第4章

悩めるママのQ&A相談室

ブックデザイン◎轡田昭彦＋坪井朋子
カバー＆本文イラスト、4コママンガ◎木村吉見
構成◎吉田あき

グレート・ジャーニー

第1章

なぜ親は子どもの短所ばかりをいじるのか？

短所いじりの原因はイライラにある？

「何度言ったら着替えるの！」

「また遅刻するわよ」

「片づけないなら、もうぜんぶ捨てちゃうからね！」

「なぜもっと早くプリントを見せないの？」

「高い月謝を払ってるのに、こんな問題ができないわけ？」

「早くお風呂に入りなさい！」

「お姉ちゃんはできたのに、ね」


子どもを大切に思うがゆえに、口をついて出てくるネガティブな声がけ。自分から勉強をして、時間をきちんと守り、身のまわりのことをこなしてくれたら「短所いじり」はなくなるかもしれませんが、目の前にいる子どもの姿はたいてい違っています。

勉強をしない。時間を守らない。身のまわりのことができない。理想と現実の違いが大きいほど、短所いじりの回数も増えていきます。ところが、子どもというのは、言えば言うほど親の言うことを聞いてくれません。ママのイライラはどんどん蓄積し、また新たな「短所いじり」が始まってしまいます。

私はこれまで、講演会や「ママカフェ」（少人数制カフェスタイル勉強会）などを通して、数多くのママさんたちとじかにお話をしてきました。

７５００人を超える現役ママさんたちとざっくばらんに話してわかったことは、**子どもの短所をいじってしまう大きな原因のひとつは、「ママのイライラにある」ということです。**

日常のイライラについてママたちにアンケートをお願いしたところ、次のような答えが返ってきました。

Q 子育てでどんなときにイライラを感じますか？

「時間がないのに、ダラダラして支度を始めない」

「部屋を自分で片づけない」

「いくら言っても勉強しない」

「ゲームばっかりやっている」

「仕事で忙しいのに、家事がたまっているとき」

「同じ失敗を何度もして、ケロリとしている」

「服を脱ぎっぱなし」

「テストの点数が悪過ぎる」

「やると決めたことをやらないでサボる。約束を守らない」

「食べるのが遅い」

「整理整頓ができない」

「また兄弟げんか」

「提出物をギリギリまで出さない」

「散らかし放題」

「すぐ泣く。泣けば何とかなると思っている」

「早くしなさいと言わないでおこうと我慢しているとき」


「子どもが思うとおりにやってくれない」「自分の思うようになってくれない」という不満が、日ごろからママたちの心に根深くはびこっているのがわかります。

こんなことが引き金でイライラ状態になると、ただでさえ気になっていたわが子の短所がいっそう際立って見えて、もう黙ってはいられなくなる。ママが噴火する瞬間ですね。

「頭ではわかっているけど、今日もガミガミ怒鳴ってしまった。しばらくして冷静になると、自分が吐いた言葉がイヤになって自己嫌悪に陥ります。でも次の日になると、またガミガミとお説教をしているんです」

それは、子どもをきちんとしつけなければならないという使命感と、わが子をまっとうで恥ずかしくない人間に育てたいという願望が相まっての「親ならではの教育的指導」にほかなりません。

しかし、親がこんなふうにイライラしているとき、子どものよいところを見つけられるでしょうか？

せっかく使命感を持って子育てをしていても、子どもの長所が見つからなければ、残念ながらその子の才能はそこで頭打ちとなってしまいます。いずれ親元を離れてから自分で才能を開花させるケースもありますから断言はできませんが、少なくとも短所いじりをする親の下では、子どもの才能が開花することはまず見込めません。

イライラの正体って？

いつまでたっても抜け出せないイライラのループ。その原因はどこにあるのでしょう？イライラの原因を知ったところでどうにもならない。原因がわかったって、どうせまたイライラしちゃうのだから仕方ない。いいえ、そんなことは言ってられません。なぜなら、これは子どもの未来につながる大問題だからです。

私がイライラのもっとも大きな原因だと感じるのは、お母さんたちの「孤立化」です。

今の時代、親元を離れてひとりで子育てをするのが当たり前になりました。いつのまにやら個人情報やプライバシーが声高に叫ばれるようになり、「子どもは放っておけば勝手に育つわよ」とおせっかいを焼いてくれる近所のおばさんもいません。

そして、ママたちは気づくのです。子どもを産んでも、育て方を教えてくれる先生や先輩がいないことに。


しかし、毎日のタスクは膨大です。掃除や洗濯などの家事に加えて、子育てには想定外のノルマが山のように噴出します。

子どもは何の前触れもなくお腹が痛いと泣き出しますし、宿題のプリントは決まってランドセルの奥底でぐちゃぐちゃになって発掘されます。働いているお母さんは、夜泣きで眠れなかった翌日に職場の上司から無理難題を言い渡されることもあるでしょう。もう心も身体もクタクタです。


こんなふうに毎日大変なタスクをこなすママは超スーパーウーマン。ときにはタスクが自分の許容量を超えて、悲鳴をあげてしまうのは当たり前のことです。そんな姿を想像するだけで、私は頭が下がります。

そんな状況で、何でも話せるような相談相手がいないとしたら、心がマイナスのスパイラルに陥ることも容易に理解できます。

私が「ママカフェ」を開催するようになった理由も、ここにあります。**孤立化したお母さんには、子育てで抱える悩みを吐露できる場所が必要なのです。**

「久しぶりに友だちと会って話したら、すっきりした」

こんな経験は誰にでもあるでしょう。人は、誰かに話をするだけで気分が軽くなるものです。

「ママカフェ」でお会いする多くのママたちも、「たくさんお話ができてすっきりしました。子どもへのイライラもなくなった気がします」と笑顔で帰られます。

インターネットで見つけた趣味のサロンや子育てコミュニティ、もちろん私の主催する「ママカフェ」(今や全国に認定ファシリテーターが200名以上います)にも、積極的に参加してみてください。同じような悩みを抱えるママたちと出会えるはずです。

スパッとお悩み解決とはいかなくとも、ひとりでは抱えきれなかった心の重みが、少し軽くなるかもしれません。

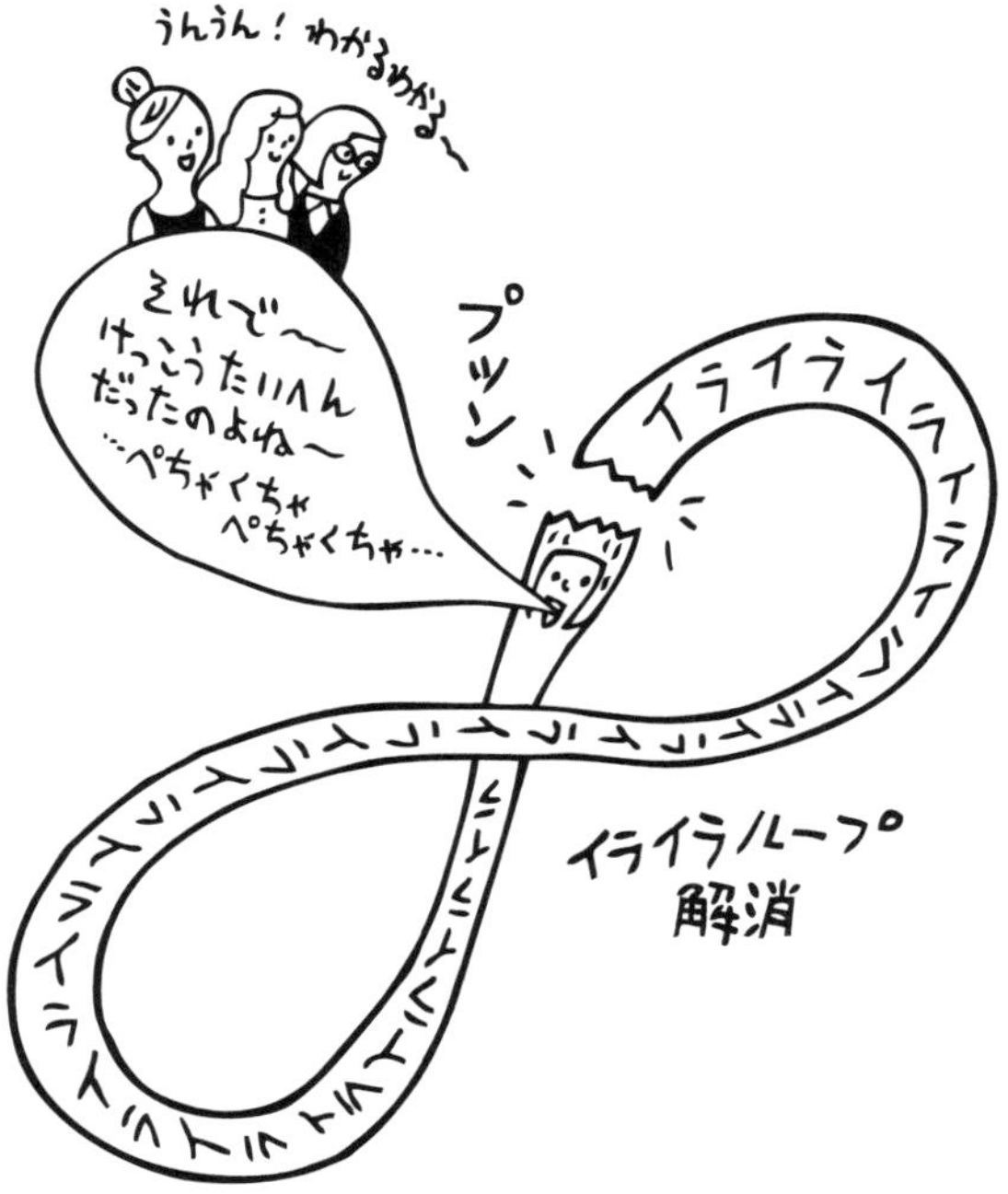

期待がイライラを増大させる

孤立したママたちがひとりで子育てに追われるなか、イライラをさらに深刻にする理由が、子どもの学力にあります。

「そこまで学力のことを気にしているつもりはない」と感じるママもいらっしゃるでしょう。

では、こんなたとえ話をしてみましょう。

あなたのお子さんの成績が学年でトップだとします。家ではゲームばかりやっていますが、このままいけば目標の国立大に入ることだって現実味があります。そうなれば、家計的にも大助かり。

こんなわが子に、「ゲームばかりしてないで、早く勉強しなさい！」と叱りつけますか？

「ママカフェ」でこんな話をすると、ママたちは「いいえ、言いません」ともれなく答えます（笑）。

「ゲームばかりで勉強をしてくれない」というのは、多くのママが抱える悩みですが、イライラの直接の原因はゲームではありません。**「こんなに毎日ゲームばかりやっていたら、きっと学力に悪影響を及ぼすに違いない」という学力低下への不安がイライラを増大させるのです。**

こんなたとえ話で、「やっぱり子どもの学力のことがいつも頭のなかにあったんだ」と気づくママさんが大勢いらっしゃいました。

もちろん、学力や勉強のことを考えないでよい、とは言いません。まず、**イライラの原因が子どもの学力と紐づいているという事実に気づいてください。**こんな小さな「気づき」が、イライラを手放す上で重要になります。

子どもの学力を伸ばしたいなら、その方法は別のところにあります。私の経験によれば、イライラによる短所いじりで学力が伸びたことは一度だってありません。この事実を知るだけでも、イライラの回数は減るのではないでしょうか？

子育てでイライラするのは当然のことです。だれだってイライラの感情を抑えることはできません。ならば、せめてイライラの回数を減らそうじゃないか、という提案です。

子どもはできないのが当たり前

「うちの子は片づけができないんです。よいしつけ方はありますか？」

ママからこんな相談を受けることがあります。あいさつができない。片づけができない。時間を守れない。学力以外にも多くのママさんが不満を持ち、イライラの誘因となるのが「あいさつ」「片づけ」「時間」の3点セットです。


こんなとき、私は決まって聞き返します。

「そんなにきちんと片づけができる子どもっていますか？　子どもって、みんなできないものですよ」

多くのママは「うちの子はできない」と嘆いて、できないことをすぐに問題視しがちです。しかし、そもそも子どもって、片づけができないものなんです。

片づけが早い子どもをときどき見かけますが、その子は「片づけ上手」が長所なのでしょう。そんな子どものママは、しっかり長所を褒めてあげるのがよい。とはいえ、大半の子どもは、片づけができません。

子どもは大人とは違って、発展途上の未熟な生物です。空気を読まず、よけいな忖度《そんたく》もせず、好きなことや楽しいことだけに向かってエネルギーを注ぎます。やりたいことだけをやり、イヤなことはやりたくない、正直だけで生きています。片づけやあいさつ、時間を守ることだって、できないのが子どもの当たり前＝スタンダードなのです。

そんな「できなくて当たり前の子ども」に向かって、今日もお小言をぶつけていませんか？

「どうしてあいさつができないの！」

「いつになったら宿題をやるの！」

「また、靴下が脱ぎっぱなし！」

大人でもそうですが、自分の短所（できないこと）は、だれに言われなくたって自分でよくわかっています。

「あいさつってちょっと面倒」

「どうやって片づけたらいいのかわからない」

「時間を守るのってむずかしい」

よく自覚しているからこそ、自分の「できないこと」を他人に指摘されると、腹が立つのです。

「そんなこと、言われなくたってわかってるよ、毎日うるさいな！」

子どもは、心のなかでこんな言葉を反芻しています。

ほら、短所是正をしたところで、子どもが自分の思うとおりにはならないことが、よくわかるでしょう。立腹しているとき、他人の言うことを素直に受け入れられないのは、大人だって同じです。

子どもはできないのが当たり前なのだ、そう意識を変えて、今日から子どもを見直してみてください。イライラした風景が、ずいぶん変わって見えませんか？

「子どもより親は格上」なのか？

もうひとつ、お伝えしておきたいイライラの原因があります。
それは、親が子どもに対して無意識のうちに持っている「目上の意識」「優越の意識」です。

そもそも論になりますが、あなたは日ごろから「親は子どもより偉い存在、命令して当たり前の上下関係にある」と決め込んではいませんか？
これが、イライラを呼ぶ大きな原因でもあります。

何の疑問も持たずに「子どもより自分のほうが格が上だ」と信じ込む根拠は、いくつか考えられます。

「親のほうが先に生まれているから」

「毎日ごはんをつくって育ててあげている」

「お金を稼いで養っているのだから当然」

「人生の先輩としていろいろ教えてあげているから格上」

「親なんだから（当たり前だ）！」

子どもはまだ幼くて、体力もありません。たしかに社会的な経験値を比べれば大きく劣るに違いありません。しかし、**人間として持って生まれたポテンシャルが低いかどうかは別次元の話**ではないでしょうか？

むしろ、素直さや純粋さ、まっすぐさ、正直さ、真剣さ、誠実さなど、人間が本来持っていてよい「善」の部分では、子どものほうがはるかに上だと感じることはありませんか？

私は、人間の「格」と年齢やキャリアには、あまり関係がないと思っています。実際、

30年以上にわたってたくさんの親子に接してきましたが、親よりもお子さんの人格のほうが上だな、と感じることがしばしばありました。

多くの親は、子どもを自分の支配下に置こうとします。でも考えてみれば、その根拠はいたって曖昧ではないでしょうか?

親は「同級生」のような存在

親はやみくもに自分が「上」だと考えますが、子どもの気持ちはもっとニュートラルです。

親はいつもそばにいて、身のまわりの世話をしてくれる存在。そこにいるのが当たり前の人ですから「上」というより、むしろ「対等だ」くらいの感覚で暮らしています（子どもが親のありがたみを実感するのは、ずっと時間がたって大人になってからです）。

子どもが頼りにしているのは、「好き」「すごい」「面白い」「かっこいい」「楽しい」といったストレートな感情です。親に対してもその感覚は同じです。「親だから偉い」とか「親だから賢い」なんて、ちっとも感じてはいません。

大人の世界でいえば、子どもにとって親というのは、会社の同僚のような存在です。そんな「対等な存在」であるはずの親から、毎日ことあるごとに上から目線で指示が飛んできたら、だれだって面白くないはずです。

ここで実験をしてみましょうか。お試しで2週間ほど、お子さんに「同級生」や「同僚」のように接してみてください。

「そろそろ着替えたほうがいいんじゃない？」
「部屋を片づけたほうが気持ちいいかも」
「先に宿題をしてから、いっしょに遊ぼう」
「手を洗わなくても大丈夫？」

これまでの命令口調や子どもを責め立てるようなお小言は、こんなふうに変わっているかもしれません。

「親が格上だという勘違い」を手放したとたん、子どもとの関係はずいぶん気楽に変化していきます。

「指示にしたがってくれるはずの子どもが、私の言うことを聞いてくれない」

こんな勝手な思い込みを捨てることで、日々のストレスはずいぶんと軽減されるはずです。そしてその結果として、親への尊敬の念が生まれてくるものなのです。

「しつけ」という名の「おしつけ」

「それなら、しつけはどうするんですか?」

そんな質問が飛んできそうですね。

「子どもをまっとうな大人に育てるためにはしつけが必要だし、将来のために高い学力や社会常識を身につけさせたいと願うのは、親としてごく当たり前のことじゃないですか?」

たしかに、しつけは家庭でも必要です。

ただ、よく見かけるのが、「しつけ」のようでいて、実は「おしつけ」になっているケースです。子どもの将来を考えているのなら、しつけの仕方を見直してみてください。

社会のルールや常識的にはやってはいけないこと、自立するために必要な日常習慣などを教えることが「しつけ」だとしたら、それを**「感情的に」「怒りながら」言い聞かせようとする行為が「おしつけ」です。**

イライラしたママから「何度言ったらわかるの！　早くしなさい！」と怒鳴られると、子どもはこわいから（あるいはウザい、面倒だから）いったんはしたがって見せますが、親が求めるルールをきちんと理解したわけではありません。よって、同じ誤りを何度でも繰り返します。

そんなわが子を見ると、ますますママのイライラは増幅して収まりがつかなくなります。手のつけようがない、イライラのスパイラル状態に陥っています。

私は、こんな「おしつけ」で、子どもの欠点が改善した話を聞いたことがありません。このとき子どもに残るのは、親にまた怒られたという事実と恐怖の記憶だけ。激情をぶつけながら子どもに物事を教え込もうとしたって、しつけたつもりが「おしつけ」となって、社会のルールの習得には結びつかなくなるのです。

「しつけ＝教える」と「おしつけ＝怒る」の違いは、感情の振れ幅にあると思ってください。物事の道理を教えるときに感情が先走っているなら、その段階で、即アウトです。こちらが伝えたいルールや約束事は、子どもにほとんど届いていません。


ここでひとつ、ぜひ知っておいていただきたい法則をお伝えします。

それは、**子どもは「怒れば怒るほどできなくなる。言えば言うほどできなくなる」という「おしつけの法則」**です。


「勉強しなさい」と言うと、勉強がキライになる。

「塾へ行きなさい」と言うと、塾へ行きたくなくなる。

「片づけなさい」と言うと、片づけをしたくなくなる。

「ちゃんとしなさい」「しっかりしなさい」と言うと、だらしなくなる。

「こんなことはできて当たり前。みんなもやっているのだからやりなさい」と言うと、み

んなができることができなくなる。

言えば言うほど、真逆の結果を呼んでしまうことが現実に起こる場合が少なくありません。特に子どもは、天の邪鬼的な傾向を持っているからです。このように命令するのではなく、わからないことやできないことは、まずは教えてあげましょう。感情を交えずに、やり方を教えてあげることで、子どもは自然とできるようになることがあるからです。

子どもの前でイラっとしたときに「あ、私は今、怒ってる」と気づくだけでも、「おしつけ」は減っていきます。子どもに何かを伝えようとするとき、こんな方法で点検してみてください。

凸凹だって大切

子どもの短所が目についた親は、何とかしてあげたいと考えます。そして多くの親は、子どもの優れたところはあっさりスルーして、劣っている部分を矯正しようとします。「みんなができないことより、みんなにできることができるようになってほしい」と願って、短所を矯正して、みんなと同じように平均化しようとするのです。

お子さんを心配する気持ちは理解しますが、みんなと同じように「平らにならす」ことは必要でしょうか?

私なら、劣っているところを矯正しようとはしません。もっと伸びるかもしれない優れた芽を、摘んでしまうことになりかねないからです。

ここでふたつの例を紹介しましょう。不得意な教科を克服させようとするケースと、得意な教科を伸ばそうとするケースです。

〈子どものテストが「算数90点、国語50点」だったとき〉

❶不得意な教科を克服させるケース

親の心の声（算数はいいけど国語がね…）

親「算数はもういいから、国語の成績を上げられるようにがんばろうね」

子「わかった」

親の期待に応えたい子どもは次のテストでがんばります。首尾よく「算数70点、国語70点」をとってきました。

親「70点と70点を合計して140点ていうことは、前回と同じね。褒められる点数じゃないけど、平均点がとれたなら、まあいいかな」

子「…」

はじめのテストで残念だと感じた気持ちを言葉にして、短所いじりをしてしまっています。さらに2回目のテストをがんばった子どもに対して反応をしないで、しぶしぶ納得しています。子どもは、モヤモヤします。

❷得意な教科を伸ばそうとするケース

親「いいね！　このまま算数をがんばろうか」

子「わかった！」

子どもは得意の算数でまた高得点を出せることを想像し、ワクワクしながら勉強します。

2回目のテストでは「算数95点、国語75点」と驚くような高得点をとりました。

親「95点と75点を合計して１７０点。30点の成績アップだね」

子「やったー！」

これが、成績がいいほうの科目をさらに強化した結果です。注目したいのは、**得意科目を伸ばすと、要領を得たかのように苦手科目の成績も上がること**です。得意科目を伸ばすとすぐに苦手科目が上がる場合もありますが、通常は少しタイムラグがあります。しかし、まずは得意科目をさらに引き上げる方法のほうが、最終的に苦手科目をも伸ばす結果になるという事例は枚挙にいとまがありません。

ひとつの「得意」やひとつの「好き」にのめり込むことで、子どもは、学びの方法、学ぶコツを習得し、自信をつけていきます。そして「夢中になってやった経験」は、他のフィールドでも生かされることを知り、自分なりに応用します。こうして苦手だった国語の成績も、いつのまにか伸びていくのです。

「得意分野を伸ばすと、苦手分野も伸びていく」ケースは、土地の耕作にたとえるとわかりやすいかもしれません。

ここに「肥沃な土地」と「不毛な土地」があるとしましょう。

Aさんは、まず収穫量が少ない不毛な土地を改良しようと考えます。時間と労力がかかり過ぎるので、肥沃な土地はしばらく放っておきます。

すると、がんばったわりに、不毛な土地にはいつまでたっても作物が実る様子はありません。いっぽう放置された肥沃な土地は、いつのまにか枯れ果てて、作物がとれなくなってしまいました。

Bさんは、肥沃な土地に、より時間と労力をかけてもっと収穫量を増やそうと考えました。

すると、肥沃な土地の収穫量は増大し、不毛だった土地を改良する余裕すら出てきます。肥沃な土地はもともとの土壌が豊かなため、さらに手をかけることで、飛躍的に収穫量が増えるのです。そして余裕ができたので、不毛な土地にだって、これから手がまわせそうです。

あなたなら、AさんとBさん、どちらのやり方を選ぶでしょう？

Bさんのように、凹んだところをいじらず、秀でたところをまず伸ばすことができれば、成功が手に入るのです。

子どもは、そもそも未熟で不出来で、凸凹だらけ。それぞれ性格も才能も違う、固有の個性を持っています。親は子どもに「普通」や「一人前」を要求しますが、全部が「スタンダード仕様の子ども」なんて、そもそもひとりもいやしません。

相対性理論を発見したアインシュタインでさえ、子ども時代は数学と物理以外は、ずいぶん不出来だったようです。さまざまな偉人伝を読んでみると、天才たちの子ども時代は、凸凹な人間の集大成みたいにぶっ飛んでいるのではないでしょうか？

凸凹があるのが子ども。だれひとり同じ遺伝子ではできていませんし、違うからこそ意味があります。

『世界に一つだけの花』のように、みんな固有の価値を持ち、それぞれ輝いているのです。凸凹が多い子どもほど、将来が楽しみですね。

しつけ？orおしつけ？

何度言ったらわかるの？
ズイッ
ちゃんとしなさい!!
ズズイッ
ハ…ハイ
え？おしつけじゃないかって？これはしつけです!!
ぐぐっ
ちょ…ママ
断じておしつけてませんよ!!! よく見て
ギュウゥゥゥゥ
ひー

第2章

長所って何だろう?

長所って何？　短所って何？

ここまで、親が子どもの短所をいじる大きな要因となっているイライラについて、あれこれ考えてみました。この章では、短所と長所について、もう少し掘り下げてみようと思います。

そもそも長所や短所って何でしょう？
手元の辞書によれば、短所は「他のものと比べて、劣っているところ、不足しているところ、欠点」、長所はその逆で「他のものと比べて、優れているところ、よいところ、美点」とあります。

すなわち、**長所も短所も比較する相手があってこそ意識されるもので、どちらも相対的な評価**です。あくまで他者と比べて性質や性能が優れているものを長所と呼び、劣っているものを短所と呼んでいるわけです。絶対的な評価ではありません。

ですから、比較する相手が変われば、その評価はおのずと変化します。

ここに、ふたりの兄弟がいるとします。ふたりとも片づけが苦手ですが、度合いが違います。兄はまったくできませんが、弟はそこまでひどくはない。比較すると、断然片づけができない兄のほうが「片づけ下手」という短所を持っていることになります。いっぽう弟も本来は片づけ下手ですが、兄ほど顕著ではないので短所とは見られません。兄と比べることで欠点が見えにくくなるのです。

長所についても、同じことが言えます。

以前、私の塾にふたり姉妹の生徒さんがいました。

お姉ちゃんは、学年で一番の成績。いっぽう妹さんは、クラスで3番目くらいの成績でした。

ご両親と面談すると、「姉は勉強が得意ですけど、妹は…」と不満そうです。私が「妹さんもすばらしいじゃないですか」と応答すると「いやいや、姉に比べるとちっともできませんよ」と、きっぱり切り捨てるのです。

私はいたたまれずに「クラスで3番の成績は、優秀ですよ。勉強できますよ」と何度も伝えたのですが、妹さんの「勉強ができる」と評価されるはずの長所は、もっとできた姉の成績と比較されて、長所とは見なされないままでした。

こんなふうに、長所も短所も「比べる相手」や「まわりの環境」によって、長所に見えたり、短所になったりするわけです。

いずれにしても、人間のある特性を、他人と比較してレッテルでくるわけですから、どちらも根本にあるのは「その人らしさ」に違いありません。言い換えるなら、その人らしい個性を他人と比較して、「長所」「短所」という名前をつけて分類してみただけのこと。

子どもの長所を見つけること、それは「その子らしさ」「その子の個性」を探すことと同義でもあるのです。

「親が望むこと」が長所ではない

長所や短所が、実は「個性」と近い言葉だということがわかりました。しかし、それでも子どもの長所がなかなか見つからないのはなぜでしょう?

それは、子どもの個性が「親の望む」範疇に入らないからかもしれません。

つまり子どもの個性を長所と認めないということです。

多くのママが「子どもの長所と認めたい」のは、

- **勉強ができる**
- **整理整頓ができる**

・読書が好き
・ピアノがうまい
・身のまわりのことを自分でできる……などなど。

まずは主要5教科に直結する学力面です。そして音楽や体育、図工などその他の修学科目に紐づけできる才能やスキルも、ママが長所としたい区分にあります。

さらに、生活面での「あいさつ」「片づけ」「時間を守る」など、「しつけ」に関する社会人としての一般的な素養。これは、育てやすい子、よい子というイメージとリンクする要素です。

たしかにこれらの「個性」はわかりやすい長所です。しかし本当にそれだけでしょうか?

先日、小学2年の男子生徒のお母さんと面談したときのことです。

「うちの子どもが、母の日に私の似顔絵を描いてプレゼントしてくれたんです。でも、それがすごくおかしな絵なんです。顔はフツーに描いてありましたが、身体には心臓や胃、腸なんかの内臓まで、びっしり描き込んであるんです。びっくりしました。グロテスクですし、こんな絵を描くうちの子どもって、大丈夫でしょうか?」

聞けば、お子さんは最近買い与えた人体図鑑にはまっているらしく、生き物の「内臓」がトレンドになっているようです。人間の身体構造、内臓器官の形や役割について興味津々《しんしん》なのです。そんな彼が人間を描くとなれば、少しでも「ホンモノらしく」描きたかったに違いありません。

「人の絵を描くときに、内臓まで描く子どもっていますか? 先生、これって、母の日のプレゼントなんですよ」

お母さんにしてみれば、にっこり笑顔の似顔絵が見たかったのかもしれません。

そこで、スマホで撮ったその絵を見せてもらいました。クレヨンで色とりどりに塗られたその作品は、臓器それぞれの輪郭がしっかりと力強い線でかたどられた、たくましくてまぶしい作品でした。おまけにその絵の隅っこのほうには「おかあさん、ないぞうだいじにしてね」と、かわいいメッセージまで添えてあります。

私は心のなかで「いいぞいいぞ、もっとやれ！」と、大きなエールを送っていました。

お母さんは「グロテスクな似顔絵で心配」という評価でしたが、第三者である私には「ユニークで、きらきら輝く心温まる作品」と映ったわけです。これは、「ホンモノらしく絵を描ける」という彼の長所のひとつではないでしょうか？

このケースは**「母親が望むものばかりが子どもの長所ではない」**という好例です。

子どもの個性をどう評価できる？

ここにコップがひとつあって、水が半分入っています。

このとき、「半分しか水がない」と見るか、「半分も水がある」と見るか？　よく知られた「コップの水理論」は、経営学で使われることが多い考え方です。

事実はひとつで「コップに水が半分入っている」という状態があるだけですが、これについて、Aさんは「半分しかない」と考えるし、Bさんは「半分もある」と見るわけです（経営学の考え方にはここでは触れません）。

Aさん、Bさんのどちらがよい、という話ではありません。見る人の意識によって、同じ状態が反対の意味を持ちうる、というたとえ話です。

マイナス志向の人なら「水は半分しかない」とマイナスの側面を見るでしょうし、ポジティブな発想をする人には「半分もあるじゃないか」とプラスの側面が見えるでしょう。

実は、子どもの長所や短所についても同じことが言えます。**短所と長所は、コインの表と裏と同様。どちらから見るかで、その意味も正反対に見えてきます。**

講演会でこんなふうに「コップの水理論」の話をすると、

「そんなことはありません。うちの子は、ぜんぶ短所ばかりです」

と、嘆くお母さんが必ずおられます。こんなとき、私は決まってこう伝えます。

「それなら、思いつく短所を、ここにぜんぶ書き出してみてください」

こうして、ママたちが思いつくままに書き出した短所は、以下のようなものでした。

・飽きっぽい

・すぐにあきらめる
・臆病
・自分の意見がない
・神経質
・責任感がない
・生意気
・がんこで意地っ張り
・せっかち
・落ち着きがない
・反抗的
・不平不満ばかり言う
・その場しのぎ
・短気、感情の起伏が激しい
・とろい
・自分の自慢話ばかりする

・こだわりが強い
・心配性
・ひねくれてばかりいる
・おせっかい
・しつこい
・面倒くさがり
・優柔不断で何も決められない
・チクリ屋、すぐ言いつける
・ケチでがめつい
・八方美人、だれにでもいい顔をする……などなど。

たしかに書き出してみると、ぜんぶが悪いところに見えてきますね。

短所を長所に「変換」してみる

しかし、ここに書き出されたものは本当に短所でしょうか。
ここで魔法を使って…、これらを長所へと変換してみましょう！

・飽きっぽい　↓幅広い経験ができる
・すぐにあきらめる　↓見切りが早い
・臆病　↓慎重
・自分の意見がない　↓他人に合わせるのが上手
・神経質　↓細かいことによく気がつく
・責任感がない　↓ストレスがたまりにくい
・生意気　↓上下関係にこだわらない（ベンチャー向き）

・がんこで意地っ張り
・せっかち
・落ち着きがない
・反抗的
・不平不満ばかり言う
・その場しのぎ
・短気、感情の起伏が激しい
・とろい
・自分の自慢話ばかりする
・こだわりが強い
・心配性
・ひねくれてばかりいる
・おせっかい
・しつこい
・面倒くさがり

↓意志が強い
↓やる気が充満している
↓エネルギーがありあまっている
↓自己主張ができる
↓評論家としての資質がある
↓臨機応変の対応ができる
↓素直に感情表現ができる
↓自分のペースを大切にできる
↓自己肯定感を自分で上げることができる
↓好きなことを伸ばす能力を備えている
↓先を見通す力がある
↓人と同じであろうとしないオンリーワンの素質
↓よく気がつく、世話することが得意
↓あきらめない精神を持っている
↓合理主義

・優柔不断で何も決められない　↓　心がやさしい、平和主義
・チクる、すぐ言いつける　↓　しっかり者
・ケチでがめつい　↓　金銭管理がきちんとできる
・八方美人、だれにでもいい顔をする　↓　器用に取りつくろう力がある

はい。もちろん、これは魔法でも何でもありません（笑）。

しかし、どうでしょうか。こんなふうに**脳のスイッチにいつもと違う角度で触ってみるだけで、短所にしか見えなかった欠点が、見事なまでに「褒めてあげたくなる個性」に変身してしまう**のですから、面白いじゃないですか！

こんなふうにでんぐり返しみたいな発想ができると思えば、もう短所ばかりだと嘆く必要はありません（ただし、短所がすべて長所に変換可能なのか？　といえばそうでない事例もあります。１４７ページでお話しします）。

ここでママたちに伝えたいのは、子どもは今のままでも大丈夫ですよ、そんなに心配しなくても問題ないですよ、ということです。

短所 ➔ 長所変換表

短所	長所
飽きっぽい	幅広い経験ができる
すぐにあきらめる	見切りが早い
臆病	慎重
自分の意見がない	他人に合わせるのが上手
神経質	細かいことによく気がつく
責任感がない	ストレスがたまりにくい
生意気	上下関係にこだわらない（ベンチャー向き）
がんこで意地っ張り	意志が強い
せっかち	やる気が充満している
落ち着きがない	エネルギーがありあまっている
反抗的	自己主張ができる
不平不満ばかり言う	評論家としての資質がある
その場しのぎ	臨機応変の対応ができる
短気、感情の起伏が激しい	素直に感情表現ができる
とろい	自分のペースを大切にできる
自分の自慢話ばかりする	自己肯定感を自分で上げることができる
こだわりが強い	好きなことを伸ばす能力を備えている
心配性	先を見通す力がある
ひねくれてばかりいる	人と同じであろうとしないオンリーワンの素質
おせっかい	よく気がつく、世話することが得意
しつこい	あきらめない精神を持っている
面倒くさがり	合理主義
優柔不断で何も決められない	心がやさしい、平和主義
チクリ屋、すぐ言いつける	しっかり者
ケチでがめつい	金銭管理がきちんとできる
八方美人、だれにでもいい顔をする	器用に取りつくろう力がある

ワクワクすることが長所のヒント

それでもやっぱり長所が見つからない？　たしかに長所は自分では自覚しにくいですし、子どもと毎日接していても、なかなか長所と呼べる生活習慣が見つからないかもしれません。

でもそれは、長所を「抜きんでた学力」や「優れた資質や能力」または「社会的常識をわきまえた人格」といった、むずかしいハードルと結びつけようとするからではないでしょうか？

私が考える長所の定義はもっと、言ってしまえばハードルが低いものです。**「心が上向**

きな状態であること」「心がワクワクすること」これがそのまま長所につながると思うのです。

では「心が上向きになる」とはどんな状態でしょうか。まずは練習がてら、ママの心が上向きになることを考えてみましょう。

「だれかと話すのがすごく楽しい」
「編み物をしていると熱中して時間を忘れる」
「推理小説を読んで犯人捜しに夢中になる」
「韓流サスペンスを観るとドキドキがとまらない」
「お料理って楽しい。家族においしいと言われると幸せ」

こんなふうに、ふだん夢中になっていることはありませんか?

他人の評価はまったく関係ありませんし、自己採点もしなくてけっこうです。大事なことは、その瞬間、自分の心がどう反応しているか?

この一点にだけ正直になってみてください。

よそのだれかと比べてはいけません。もし比べたいなら、過去の自分と比べてみてください。

「楽しい！　面白い！　ワクワクする！」

こんなふうにあなたの心が「魂レベル」で躍っているなら、それはあなたが長所エリアの真ん中にいる証拠です。

おしゃべり好きなら、それがあなたの長所です。きっとあなたと話すと楽しいと感じるだれかがいるはずです。

ネットショッピングにはまったら、みるみる買い物上手になって、家族に喜ばれることでしょう。

散歩が好きなら、どこかで思わぬ素敵な人や場所との出会いが待っているかもしれません。

編み物に凝っているのなら、たとえ今はマフラーの編み目がバラついていたって、いずれはきれいにそろうほど編み物上手になっているでしょう。

大好きなこと、ワクワクすることに夢中になるうち、いつのまにか、それがあなたの愛すべき個性に育ち、長所と呼べるものになっているのではないでしょうか。

感覚がつかめましたか？

「長所は心が上を向いているところに見つかる」。この大原則に気がつけば、お子さんの長所も見えてくるはずです。

長所は成功への入口

さて、子どもの長所を見つけることがなぜ大切なのか？　という原点をもう一度おさらいしておきたいと思います。

長所を伸ばすと幸せになるから。

この本のはじめのほうで、私はそんなことをさらりと伝えました。長所と幸せがどうつながるのか？　「風が吹けば桶屋がもうかる」ではありませんが、話が飛躍して聞こえるでしょうか。

私は、長所は「ものごとの入口」だと考えています。それはなぜでしょうか？

ここで「自信のある行動」に結びつく長所の大切さについてお話しします。

生きる上で「行動する」ことは、重要なキーワードです。人間は動くことで、だれかに何かを与えたり、またどこかで何かをもらったりを繰り返して、よろこびを感じます。それは行動の「成果」であり、行動した人間だけに与えられる「うれしいご褒美」です。

いずれ子どもも親から巣立ち、自分から「行動」を起こすようになります。だれかが何かをやってくれるのは、子どもが子どもでいられる時代まで。大人になれば、自分で動いて何かを切りひらかない限り、生きていけません。

そのときに大きな味方となってくれるのが長所です。**長所を手がかりに始めたことはうまくまわっていくことが多く、子どもの行動を「自信のある行動」に変えてくれる**からです。

自信のかけらも持たない行き当たりばったりの行動は、いずれ行きづまって、迷路をさまよったのち倒れこむことになるでしょう。

いっぽう「自信のある行動」は、少々の荒波にもまれようとへこたれる気配がありません。こんな人は、少々の障害にぶつかっても、好奇心と探求心を武器に難局を乗り越えて、軽やかに道を進んでいくに違いないのです。

子どもがさまざまな経験をしながら社会生活を学ぶなかで、長所はその強い突破口となります。だからこそ私は、長所は「ものごとの入口」だと考えているのです。「幸せの入口」「成功への入口」とも言えそうですね。

先ほど私は「長所は、その人のワクワクのなかにある」と言いました。

人間は本当にワクワクすることであれば、だれに頼まれなくても面白がって続けますから、いずれ人より抜きんでて独自の成果を生みます。

大きな花を咲かせる植物も、始まりは小さな一粒の種です。せっせと水をやり、芽が出たらお日さまの光に当てて育てます。

人間も同じ。**長所の種を見つけたら、まずは認め、せっせと褒めて、その芽を育みましょう。**思いもかけぬほどうれしい果実を結ぶ明日が、きっとやってきます。

長所をしっかり
お持ちですね
どうぞお通り
ください
HAPPY GATE

ヘンカンしよう♪

ボク、短所ばかりだ
うぇ〜〜ん
ママにまかせて!
短所
短所
ジャーン!
短→長メガネ〜〜
どう?
短所
短所
短所
短所
マジですか!!
長所
ハーイ
短所
イエイ
長所
え!?

第3章

子どもの長所が見つかる5つの習慣

ささいなところに長所のかけらが隠れている

前章の終わりで、子どもの長所は必ずしも才能や能力と結びつくのではなく、「心のありかた」にヒントがあることをお伝えしました。

第3章では、いよいよ、子どもの長所が見つかる5つの習慣をお伝えします。この習慣を実践すると、あなたが子どもを見る目に変化が起きます。そして、今までは見えなかった（いや、短所として見ていたかもしれません）意外な長所が見えてきます。

ただし、あなたはすべてを実践する必要はありません。「ピンときたものだけやってみる」というくらいの軽い気持ちで大丈夫。8割程度実践できたなら、花マルがもらえると思ってください。

先ほどもお話ししたように、子どもの長所は学校の主要科目だけではないことを忘れないでください。

・おしゃべりが好き　→コミュニケーション能力が高い
・人の話をじっくり聞ける　→他人の意見を尊重できる
・工作に熱中する　→集中力がある
・お花に水をあげていた　→生き物にやさしい
・電車の名前をよく知っている　→得意分野に強い
・あれこれたくさん質問する　→問題提起力がある
・人に教えるのがうまい　→指導力に秀でている

という具合です。

「え、これもそうなの？」と思えるような、よくある子どもの特徴。これらだって、長所のかけらなんです。大化けして子どもの才能に結びつくかもしれません。ささいなところに隠れている、子どもの長所の断片を見逃さないことです。

子どもの長所が見つかる5つの習慣

［第1の習慣］

短所をいじらない

「長所進展」が子育ての大事なポイントだと言いましたが、それだけでは不十分です。

「長所を見つける」と「短所をいじらない」

このふたつをセットにしなければなりません。

念押しするわけは、「長所は伸ばす、と、同時に短所も正す」の両方をやりたがるお母さんが多いからです。しかし、これでは車のブレーキとアクセルを同時に踏むようなもの。短所いじりで自信を奪ってしまっては、せっかくの長所進展が帳消しになってしまいます。

短所をいじらなければ、長所が顔を出し、長所をいじるうちに、やがて短所はなくなる。「ニワトリが先か、タマゴが先か？」のような因果関係のジレンマですが、私は**「短所をいじらないこと」が、子育ての「いちばん重要なキモ」**だと確信しています。

短所をいじらない、怒らない、叱らないで、スルーすると、子どもの心から恐怖や嫌悪が消えていき、本来持っている長所が顔を出し始めます。その長所を認めてあげると、子どもの心は満たされていく。すると、気持ちに余裕が生まれて、自分の身のまわりを点検し始めます。

こんな順序をたどって、子どもは、だんだん自覚している短所の修正を進めていきます。徐々によい感じのループができていくのです。

短所に関しては、どうしても指摘したいときは感情的に伝えるのではなく、冷静に教えてあげてみてください。

ここで、もうひとつこだわりたいのが「長所深掘りのすすめ」です。子どもの「得意」や「好き」をただ認めるだけでなく、その道を極められるよう導くのです。

〈長所深掘りの方法〉

英語が得意科目だけど、数学が苦手な子どもなら、

△　**英検で３級を目指す**

◎　**英検で２級や準１級を目標に設定する**

子どもがやりたいことや長所は天井（限界）をつくらずに、いけるところまで進んでしまっていいのです。場合によっては頂点まで上り詰めてしまってもよいでしょう。ただし、子どもに「やりたい」という気持ちがある場合のみです。親の指示や命令で無理にやらせようとしても、「やりたい」という気持ちがない子どもにとっては義務になってしまい、長所は一定水準以上に伸びていきません。

先ほどお話ししたように、好きな科目を徹底的に追求するうち、不思議なことに苦手な

数学の点数もじわじわと伸びていきます。

このようになることがなかなか信じられず、途中で親のほうが我慢できなくなって短所是正モードになる場合があります。しかし、長所を伸ばし続けることで苦手分野が伸びだすことは、これまでに実例がたくさんあります。

子どもたちの「得意」や「好き」のエネルギーを、苦手分野ではなく、得意分野に存分に注ぎ込むことが、長所を伸ばすいちばんの近道なのです。

実は東大生が「長所進展×深堀り」で育てられているというデータがいくつもあります。

これが人間を育てる上での最大定理だということを、ぜひ知っておいてください。

子どもの
長所が見つかる
5つの習慣

［第2の習慣］
自分を満たす6つのツールを活用する

イライラしているとき、いつまでもゲームをやめないわが子を見て「ゲームにとりくむ姿勢が素敵だわ、かっこいい！」とは思えませんね。

しかし、ママに心の余裕があれば、わが子のそんな姿を認めてあげられるかもしれません。

先ほどお話ししたように、イライラは短所いじりのもと。それだけでなく、**ママ自身の心を上向きにしておくことは、子どもの長所を見つけるためにも肝要**なのです。

さあ、このあたりで、日常のイライラを解きほぐすためのウォーミングアップを習得しませんか？

家事や育児で毎日忙しく、お仕事をされているママも多いから、「自分のために割ける時間がまったく見当たらない」とおっしゃる方も少なくないでしょう。それは、まぎれもない事実ですね。

でも、ほんの5分でもかまいません。少し無理をしてでも、自分の時間をつくるよう意識を変えることがポイントです。

ここで紹介する6つの方法は、私自身、気分をアップするために活用しているものばかり。すべてをこなす必要はありません。自分が「これならできそう」と直感したものがあれば、ぜひ、生活に取り入れることをおすすめします。

ツール1 心が「快」になる人に会う

会うとなぜだか元気をもらえる人、だれにだっていますね？　気分が落ち込んでるとき、その人の笑顔を見たり声を聞いたりするだけで、気分がす～っと落ち着いていく人です。
あなたのまわりにこんな、元気が出る人はいませんか？

- なぜかウマが合う
- 好みがいっしょで盛り上がれる
- パワーをもらえる
- テンションが上がる
- 会うだけでホッとする
- 癒やされる
- 心が温かくなる…など

旧知の間柄や大親友でなくてもかまいません。「元気をわけてくれる存在」であればいいのです。

知人ママのケースでは、タロット占いが得意なママ友が「その人」でした。

「心配事があると占ってもらいます。素人の私がカードを見て、これは悪い暗示じゃないかな？　と思っても、彼女は絶対にネガティブなことには結びつけません。このカードにはこんな意味もあるんだよって、必ず勇気づける言葉をかけてくれます。そんな温かい気持ちがうれしくて、帰るころにはいつも明るい気持ちになれるんです」

ざっくばらんな会話、ただボ～ッとお茶を飲むだけでも、心が休まるならありがたい。なかなか会えないときは、電話やオンラインで元気をもらうのもありでしょう。趣味のサークルや、ＳＮＳを通じたコミュニティなどに参加して、波長の合うだれかを見つけておくのもグッド。

もし、まわりを見渡しても見つからなかったら、これからは意識して探してみてください。判断基準は、その人と会ったり話したりしたときに、心が「快」になるかどうか？　それだけです。今は気づかなくても、そんな意識を持って見直してみると、気分を上げてくれるだれかがきっと見つかるはずです。

ツール2

「ここではないどこか」を活動エリアに

その場所へ行くと、気分が上がる、なぜか落ち着く、ホッとできる、癒やされる、リフレッシュする、あるいはハッピーな記憶がよみがえる……あなたの気持ちが前向きになる、お気に入りのスポットを持つことです。

- **緑がまぶしい森林**
- **マイナスイオンに満ちた川辺**

大人版・秘密基地のような大自然を感じるどこかでもよいですね。

- **街が一望できる高いビルの屋上**
- **富士山が見えるスポット**
- **夕日がきれいな街角**
- **以前住んでいた町の小さな公園**

・**通学路で通った駅のベンチ**
・**大切な人と出かけた思い出の場所**
・**遊園地や美術館**

日常の喧騒からしばし離れて、心に安らぎを与えてくれる場所もいいものです。

・**古本屋さんや朝市**
・**川沿いの散歩道**

気分が落ち着く近所のちょっとしたスポットはありませんか？

・**画材屋さんや雑貨屋さん**
・**ハーブティーがおいしい喫茶店**
・**デパ地下**

ささやかなよろこびでも気分が上がるのなら、お気に入りに数えてください。

ちなみに私は、自宅からほど近い横浜にあるカフェがお気に入りのひとつです。こちらへ出かけて、温かいコーヒーを飲みながら仕事を始めると、驚くほどはかどります。客観的な視点を持つことができ、思いもつかなかったアイデアが降ってくることもあります。
夏休みなど、まとまった休暇なら、家族で八ヶ岳のお気に入りスポットに出かけて、気持ちのいい空気を吸って、頭と心の風通しをよくします。

今、こうしてお伝えするうちに思いついた場所があれば、日ごろからあなたの「ハッピースポット」として、意識しておきましょう。
その場所をふだんの活動エリアに加えて、積極的に出かけてみてください。日ごろたまっていた心のざらつきが、スーッと引いていくはずです。

ツール3

とっておきの一冊を持つ

あなたにエネルギーを与えてくれる、「人生の一冊」とも言える書籍です。もう出会っていますか？　もちろん、これから探すのだってありですよ。

・気分が高揚する
・やる気がむくむく湧いてくる
・青春時代の一ページを思い出してきゅんとする
・おまじないのようなよいことがたくさん書いてある
・行きづまったときにリセットできる
・美しい詩歌にときを忘れる
・絵本のなかの夢世界に静かに浸れる…など

ジャンルは何でもいいのです。タレントさんのエッセイや写真集、感動モノの小説、海外の翻訳推理サスペンス、ストロングワードがいっぱいのマンガや絵本、お料理のテキストだって。手元に置いて、何度でも読み返してください。一冊といわず、何冊かあるのなら、それも幸せなことですね。

映画やドラマでもいいですね。名作映画やドラマ、今なら、サブスクで観られる海外ドラマなどはどうでしょう。

私は、村上もとかさんのマンガを原作とする連続ドラマ『JIN—仁—』が大好きで、これまでに30回以上観ています。観るたびに新しい発見があり、何度も心が熱くなりました。私にとって文句なし、「気分が上がる傑作ドラマ」です。

書籍や映像は「没入」できるのがいいところです。たったひと言のセリフや世界観が、「しんどいな」と凹んだときに勇気や元気を与えてくれます。ぜひ「自分だけの名作」に浸って、気分をリセットする習慣をおすすめします。

本棚の奥にしまい込むのではなく、よく見える場所に置いておくのがポイント。ふと心が惹かれたとき、いつでも開いてみてください。

ツール4 おいしい「食」でアゲる

4つ目のツールは「食」です。

やっぱりそうきたか、と思われるでしょうか⁉　食べることは人間の原始的な欲望ですから、即ストレス解消につながることは、ご存じのとおり。「おいしい」の感動は、一瞬にして心を満たしてくれます。

「疲れがたまって子どもに八つ当たりしそうになったけど、何とかとどまるようにがんばった。今日のおやつはいつもより多めに食べちゃおうかな」
「1週間大変だったけど、毎日ごはんをつくったのは、我ながら偉い！　たまには、あの名店のお持ち帰りを奮発してもいいよね？」

こんなご褒美グルメ、いいですね。

気分が上がるのは、高価なものとは限りません。いつもは控えているジャンクフードやスナック菓子、お酒を飲んだあとの〆に封印していたとんこつラーメンだって、非常事態であれば解禁したっていいでしょう。ただし、ドカ食いはおすすめしませんよ！（笑）

私は、八ヶ岳にある人気レストランの地ビールを飲み、カレーを食べると、いやがおうにもテンションが上がることになっています（笑）。

なかなか出かけられないなら、いつか食べてみたいグルメたちを下調べする時間も楽しいでしょう。

ツール5

魂のクスリ「音楽」で癒やされる

私の知人は休日になると、インドネシアのガムランを部屋中で流し、朝から体操をするそうです。こうして身体にたまった1週間のよどみを一気に吐き出すのだとか。

古代エジプト人は「音楽は魂のクスリ」と呼んでいたといいますが、音楽には心身に変化をもたらす効果があることがわかっています。たしかに、軽快なメロディーを聴けば気分が盛り上がりますし、マイナーコードの哀愁に満ちた楽曲に触れれば、せつなくなります。

音楽には、集中力の増加やパフォーマンスの向上、疲労の緩和、ストレスの軽減、気持ちのスイッチングなどの効果も期待できるそうです。

アスリートたちが試合の直前にヘッドホンをして音楽を聴く姿も、おなじみの光景になりましたね。音楽はまさに、即効性のある「気分転換ツール」なのです。

忙しいママたちも、10代や20代にはもっとたくさんの音楽を聴いていたのではないでしょうか。恋をして歌に没頭し、試験勉強の合間に勇気をもらい、友だちと歌詞のすばらしさについて語り合う。音楽とともに、さまざまな思い出を育んできた人も少なくないと思います。

今は、スマホで気軽に音楽を楽しめる「Spotify（スポティファイ）」や、話しかけるだけでAIが反応して音楽を流してくれるAmazonの「Alexa（アレクサ）」などの便利なツールもあります。

音楽は、忙しいママの強い味方。意識したことがなかった方は、ぜひ目を向けてみてください。

ふだん何となく耳に入ってくる音楽も、「音楽＝音を楽しむ」と意識するだけで心地よ

いものに変わります。わが子が聴いている最近の曲だって、意識して聴いてみると、悪くないかもしれません。

ツール6 「香り」を暮らしに取り入れる

最後に教えるツールは「アロマ」「香り」です。

すでにアロマテラピーやお香などを生活に取り入れている方は、好きな香りを嗅ぐと、気分がよいと感じているかもしれません。

香りは、感情や記憶をつかさどる大脳辺縁系に働きかける効果があり、自律神経やホルモンバランスの不調を緩和すると言われています。

「疲労回復」「脳の活性化」「リラックス」「安眠」などの効能を目当てに選んでもいいですし、シンプルに好きな香りを嗅ぐだけでも、気分はリラックスへ向かいます。

お気に入りの香りがひとつでも見つかれば、次の香りを選ぶのが楽しくなります。慣れてきたら、サプリメントのように毎日で変化をつけたり、気分に合わせて、自分でブレンドすることもおすすめです。

お香には、ネガティブなエネルギーを吐き出す「浄化」の作用があります。

私もお香の効能を実感するひとりで、数種類の香りを部屋に常備しています。いちばん好きなのは、木箱に入った白檀《びゃくだん》のお香。忙しくて気持ちがざらついた日には、お香を焚いて、目を閉じ、静謐《せいひつ》なひとときを過ごすようにしています。

春に芽吹く草の香りや、秋に漂う金木犀《きんもくせい》の匂いでも、スーッと心が澄み渡り、晴れやかな気分になることがあります。

懐かしい香りに過去のいい思い出がよみがえることも。心に余裕が持てるようになれば、そんな香りの記憶も楽しみたいですね。

「香り」は時間をかけずに楽しめるツールです。いつもの場所にお気に入りのアロマやお香を置いておくだけで、リラックスできます。

以上、６つのツールから、あなたが取り入れやすいものをチョイスしてみてください。何度もいいますが、ポイントはほんのわずかでいいから「自分の時間を持つ」ことです。

笑顔でいようと頭ではわかっていても、気分がどん底に落ち込んでしまうこともあります。そんなときは、６つすべてのツールを使って、フルスペックで対応するのもＯＫ。万全の装備で、自分の気持ちを上向きにするのです。

「勉強しなさい」と口出しする代わりにシュークリームをひと口。

「早くしなさい！」と怒りたくなったら、ラベンダーの香りをひと嗅ぎ。

こんなふうにして、フラットな気持ちでいられる時間をすこしずつ増やしてみてください。いつもご機嫌なママの顔を見て、子どもはみるみる変わっていきます。

子どもの成績が伸びてママの機嫌がよくなるのではなく、ママが毎日楽しそうだから子どもが賢く育つ。実はこちらが正解なのです。

子どもの長所が見つかる5つの習慣

［第3の習慣］

3つの「魔法の言葉」を口グセにする

やっかいなマイナスの感情を手っ取り早くポジティブな方向へ転換させるには、言葉の力を借りることです。

「気分がいいからいい言葉が口に出る」こともありますが、「いい言葉を使うからいい気分になる」のもよく知られた真実。

ネガティブな言葉や他人の悪口などを口に出すと、それだけで脳は大きなダメージを受けるそうです。

いっぽう、プラスの言葉を習慣づければ、脳はポジティブな現実を実現しようと、感情までそちらへ誘導するといいます。

「語る言葉が人生をつくる」とは、このことですね。

自分が発した言葉を、いちばん身近で聞くのはだれあろう自分自身。ですから、自分が使う言葉には思いがけない影響力があります。

言葉の力が本当にあるかどうか知るには、試してみるといいでしょう。時間もかかりませんし、お金もかかりません。まずは次の3つの言葉を日常に取り入れてみてください。

1 「楽しいな」

2 「面白いね」

3 「ワクワクするよ」

魔法の言葉は、たったのこれだけ。簡単すぎるでしょうか?

これらの3つのワードは、「努力」「根性」「気合い」に代表される古い時代のキーワードに代わって、**これから新時代を生きる上で、われわれがもっと意識したほうがよい21世**

紀の重要なキーワードでもあります。

参考までに、これからの時代に重要となるキーワードをお伝えしてみましょう。

［古い時代のキーワード］

・論理
・反省
・知識基盤社会
・男性型
・気合い
・努力
・受信型
・ローカル
・収束
・ＰＤＣＡ
・ピラミッド型組織
・人工的
・根性
・集団性
・偏差値型
・アナログ

［21世紀のキーワード］

・感性
・発散
・ネットワーク型組織
・女性型
・デザイン
・楽しい
・面白い
・個性
・グローバル
・発想力
・振り返り
・コミュニティ
・クリエイティブ
・自然的
・ワクワク感
・ゆるい
・発信型
・デジタル　……など。

私が講演会でこんなキーワードを披露すると、多くの方から「なるほど！」という反応が返ってきます。みなさんも、これからの時代に求められる何かを、肌で感じているのではないでしょうか？

さて、3つの魔法の言葉＝「楽しい」「面白い」「ワクワクする」は、どんなタイミングで使えばいいのでしょう？

答えだって、拍子抜けするほどカンタンです。日常のあらゆるシーンで、そのまま声に出す。これだけなのです。

「研ぎたての包丁は切れ味がよくて、料理が楽しくなってきちゃった」
「この前買った新しい靴、明日履いてみようかな。ワクワクする！」
「〇〇のインスタ、見た？　もう最高。面白かったね〜！」

こんなふうに日常のあらゆるシーンに散りばめて、いつでもどこでも「ワクワクする言葉遊び」を習慣化しましょう。

すると、楽しいこと、面白いこと、ワクワクすることが、必ずあなたのまわりにやってきます。よい言葉がよい事象を誘い、運んでくるのです。

大事なことは、心のなかで思うだけではなく、必ず言葉として「声に出す」こと。

「類は友を呼ぶ」と言いますが、良い言葉は、良い現実を呼ぶ。どうぞ、実験をするような軽い気持ちで、今日から始めてみてください。

子どもの
長所が見つかる
5つの習慣

［第4の習慣］
「失敗」と「間違い」を歓迎しよう

6つのツールと3つの魔法の言葉、効果はいかがですか？ 毎日のストレスから少しでも解放されたら、ワクワクのまま、もう一度、わが子に目を向けてみてください。

子どもに向き合うとき、忘れてほしくないことがあります。それは「失敗」や「間違い」をしたときに否定しない、ということです。

子どもたちを指導するなかで気づいたことのひとつが、**「失敗をこわがって行動をためらう」子どもがとても多い**という事実でした。

失敗をおそれて、はじめの一歩を踏み出せない。ちょっとしたミスですぐにくじけてしまう。傷つくことへの過剰な恐怖。

こういった行動をとってしまうのは、いずれも「失敗は悪だ」という観念が心の根深いところにインストールされているからです。

「失敗は成功の母」という格言があります。失敗から学べば、次回は同じ轍《てつ》を踏まないようになる。失敗した経験が成功を導くのだから「失敗してもいいんだよ」という励ましのメッセージです。

しかし、子どもたちは気づいています。

「その慰めはうれしいけど、やっぱり失敗するより成功したほうがいいんだよね……」と。

わかってはいるけれど、やっぱり失敗がこわいのです。

では、失敗に対する恐怖をどうやって取り去ってあげたらいいでしょうか?

テストで80点をとった子と、40点しかとれなかった子がいたとしましょう。80点を取った子どもは気分がよいため、間違えた問題に前向きにとりくんで解き直しています。いっぽう、40点しかとれなかった子どもは、気持ちがうしろ向きだから、はなからやる気を失っています。

できる子はさらにできるようになり、できない子はいつまでたってもできないまま。学力の格差は広がるばかりです。

そこで、子どもたちには次のように言います。

「失敗や間違いはたくさんしたほうがいい」

さらに、なぜそうなのかという理由も説明します。この説明が大切です。

「100点満点中の40点をとっていて、もし間違えた60点ぶんが今日できるようになったら、60点ぶん成長だよね。80点の場合は間違えた20点ぶんは成長できるけど、60点ぶんできるようになったほうが成長率が3倍じゃない？」

「もちろん、最終的なテストでは高い点数のほうがいいけど、練習段階では間違いが多いほうが成長率が高いでしょ。だから、間違いが多くてやる気をなくしている場合じゃなくて、逆に喜ばないといけないいんだよ」

子どもの心から失敗することの恐怖を取り除けば、気持ちは学びに向かいます。チャレンジ精神はもともと子どもに備わっている本能ですから、放っておくだけで自然とトライ&エラーを繰り返すようになるのです。

トライ&エラー＝失敗を歓迎し、もう一度挑戦する。これが、もっとも身につく学びの方法です。

ですから、何があっても**「間違えてダメじゃない！」「失敗ばっかり」「受験では命取りになるよ」などと責め立てるようなことはしないでください。**

失敗を責めてしまうと、子どものせっかくの挑戦は報われず、可能性の芽は摘まれてしまいます。自信とやる気も根こそぎ奪うことになるでしょう。そうなってしまったら、いい未来には期待できません。

子どもの失敗を大きな心で許すことです。「失敗は肥やし」だと思って、ぜひ目の前のエラーを前向きにとらえてください。

親自身が「失敗はよいこと」と意識改革しておくことも大事です。ふだんの生活のなかでも、その意識を伝導していけるからです。

たとえば、お子さんが毎日水をあげて世話していた植物が枯れてしまったとします。このとき、「ちゃんと世話をしないからよ」と頭ごなしに責めるのではなく、「何で枯れちゃったんだろうね？　原因を調べてみよう」と、この失敗の原因をネットで探ってみましょう。

すると、それは「根腐れ」といって過剰な水分供与が原因（水の与え過ぎ）だとわかりました。

子どもはこれを機に、その植物は1週間に1度の水やりが適切で、植物は種類によってさまざまな水分供与の適量があることを学ぶことになります。

失敗は、宝です。

失敗が多かった子どもほど、強くてたくましい大人になるのは言うまでもありません。失敗や間違いを歓迎する意識は、子どもの才能を芽生えさせるためにも必ず役立ちます。ふだんからぜひ、実践してみることをご提案します。

※失敗や間違いについては、それを推奨するのではなく、失敗や間違いがあったときの心構えと考え方が大切ということです。したがって、子どもに失敗や間違いがあったときに、「学べるね～」という言葉がけや、間違いの理由がわかったときに「これで1歩前進。学べたね！」という言葉をかけるといいでしょう。このような言葉を継続していくと、子どもの失敗や間違いに対する免疫力が高まっていきます。

子どもの
長所が見つかる
5つの習慣

［第5の習慣］

「夢中になるもののベスト3」を見つける

さて、いよいよ最後の習慣です。ここでは、子どもの長所を見つける具体的な方法をお伝えしましょう。

長所は、子どもが夢中になるものに潜んでいます。

とはいえ、ひと口に子どもと言ったって、年齢はさまざまです。子どもによって個人差がありますから、一概には言えませんが、10歳をひとつの目安としてみてください。

10歳までの子どもは「試食タイム」。プールで泳ぐのが楽しそう、習字が好きだと言っている、ダンスに興味を示している…などの材料だけで、「将来の才能が芽生えた」と考えるのは早計です。

子どもの興味は移ろいやすく、熱しやすく、冷めやすい。ですから**興味が湧いたことがあれば、どんどんやらせてみてください。途中で飽きたって、問題ありません。**継続できなくても「いい経験だった」と割り切ってしまう鷹揚さが大切です。

子どもは、何にだって夢中になりますから、長所を見つけようとして、過敏にならなくてよいのです。

「お金と時間を使って通わせたのだから」と執着する親御さんをたくさん見てきました。でも、飽きたらやめるでＯＫです。「この子はピアニストになるかもしれない」とピアノばかりやらせてみたものの、親の先走りだったとあとで気づかされることは、よくある話です。

さまざまな経験をさせ、子どもが自主的にピアノしかやらないのであれば、それはそれでよし。こんなふうに考えてください。

どんな経験だろうと、必ず何かにつながります。10歳までは大らかな気持ちで、何でも「試食」をさせるのが親の務めと割り切りましょう。

さて、話をもどします。

子どもは10歳前後で、道徳性、社会性や感情などの変化があると心理学では言われています。お子さんの発言や行動、そのひとつひとつに目を向けてみてください。

このとき大切なのは、他者との比較はしないこと。比較をすれば、必ずもっと優れた他者が見つかります。**他者との比較ではなく「この子のなかのいいところベスト3」を探す**のです。

お子さんは、何に夢中になっていますか？　夢中とは、その子がごはんを食べなくても、寝なくても、ずっとやっていたいというものです。極端ですが**「寝食を忘れてもやっていたい」なら、それが夢中になっている状態**です。

夢中になっているものを見つけるときに覚えていてほしいのは、同じように夢中になるにも、さまざまな理由があることです。

たとえば、『レゴ』にはまっている子がいたとします。

親は「この子はブロック遊びが好きらしい」という表面だけを見てしまいますが、ひと口に『レゴ』が好きと言っても、

・つくることに喜びを感じる
・完成させることに喜びを見出す
・完成した作品を飾っておくのが好き

のように、子どもが感じる面白さやツボは、さまざまです。

つくる過程に喜びを感じる子どもは、完成した作品をまたバラバラにして、別の作品を仕上げることがあります。クリエイターの素養を持っている可能性があります。

また、完成させる達成感に喜びを感じる子どもは、目標に向かって一所懸命に進む辛抱

強さがいいところではないでしょうか。

完成品を陳列するのが好きな子どもは、ものを大事に鑑賞したいコレクター気質かもしれません。

このように、同じ『レゴ』に夢中な子どもでも、中身はさまざまに違っているのです。

ヒント1 「言われなくてもやること」は何か?

子どもが夢中になることに長所の源泉があり、同じ夢中になるにもさまざまな理由があることもわかりました。

その上で、長所を見つけるには、3つの視点がヒントになります。

ひとつ目のヒントは、「自分でやりたいと言いだしたこと」「言われなくてもやること」です。

勉強や遊びに限らず、「愛犬の世話やお散歩」「お菓子づくり」「お風呂掃除」「窓ふき」「パパの洗車の手伝い」などのお手伝いでも、こちらが頼まなくても進んでやるようであれば、立派な長所です。

「冷蔵庫にメモや領収書、ちょっとしたレシピなんかをマグネットで貼っていますが、うちの娘は、なぜかその管理をやりたがります。貼るものは私が決める！　と宣言して、マグネットを色分けしたりします」

こんな報告をしてくれたママがいらっしゃいました。娘さんには、ファイリング能力やデータ分析などの文書管理の能力が芽生えて、これが長所となっているかもしれません。

子どもにはおそらく「これが私の長所だ」という自覚はありませんが、そこに**「楽しい」「面白い」「ワクワクする」「うれしい」などの喜びがあるなら、どんな分野であろうと長所**に違いありません。どれも、胸を張れる能力であり、愛らしい個性です。

わが子のこんな行動を見つけたら、**「すごい！」「助かった」「ありがとう！」と声をかけることを忘れないようにしてください。**子どもの自己肯定感がぐんと持ち上がるチャンスです。

ヒント2

「なぜ」好きなのか？

長所を見つけるふたつ目のヒントは、「なぜ？」という視線です。

この子は、なぜ本に夢中なのだろう？　なぜ本にはまっているのか？

ストーリー展開にはまっているケースもありますし、メルヘンの世界を夢想できるから好きという子もいます。あるいは、ひとりで自分の世界に没頭する子どももいて、読書好きにもさまざまあります。

本が好き、という目に見える事実だけでなく、その奥にある**わが子の本質を見つける目を持ってください。そこに「深イイ」何か＝才能の鉱脈がある**のです。

このような視線で子どもの世界を見つめ直す習慣をつけると、おのずと子どもの「長所」が見えてきます。

ヒント3
「ポジティブワード」が出るタイミング

3つ目のヒントは、子どもの「ポジティブワード」に着目する習慣です。

「面白い」「やった〜!」「勝った〜!」「うれしい!」「楽しい!」「かわいい」など、お子さんの口から自然と飛び出すポジティブワード。これが、いつどんなとき、何をしているときに連発されるのかに注目してください。長所を指し示すダイレクトなサインだからです。

こんな話をすると、ママたちがすぐに連想するのは、ゲームですね。

こちらから与えなくても子どもは勝手にゲームを始めますし、ポジティブワードがぽんぽん出てきます(ゲームやりながら文句言っている子もいますが)。寝食を忘れるほど夢中になって、いつまでもやめません。ほら、「長所を見つけるヒントの3要素」がすべて入っていますね（笑）。

「ゲームばっかりやって心配です」とママたちは嘆きます。

ゲームは何の役にも立たないし、時間がもったいないだけ。子どもを早くゲームから引き離さないと勉強に遅れが出る。これが、ママたちから聞いた率直な気持ちです。もちろん、ゲーム時間のルールを決めて行なうことも必要でしょうが、ゲームの内容について親は意外と知りません。

かくいう私の息子（高1）も、ゲームに夢中です。先日、息子にレクチャーを受けて、あるゲームにトライしてみました。これが、なかなかに楽しい。いや、それどころか、素晴らしく高度にできていて、ハイレベルなプログラミングがなされ、さまざまな意欲をかき立てられました。これは「学びになっている」と実感しました。

ゲームの世界観からインスパイアされる事象も想像以上でしょう。

実は、わが家では、ゲームに時間制限を設けていません。ゲームやりたい放題の環境なのですが、ゲームばかりやっていると、さすがに飽きてくるようです。

現実世界のアナログな勉強を新鮮に感じるようになるらしく、こちらが何も言わなくてもゲームと勉強を交互にこなすようになりました。

今の時代、ゲームに触れずに育つのはむずかしいことでしょう。むしろ、子どもの学びに不可欠なアイテムになっているとさえ感じています（ゲームの内容については、ときには選択する必要があるでしょうが、基本的に子どもが行なうゲームで有害ということなら、そもそも販売停止になっているでしょう）。

ゲームの世界に長所を発見する可能性は大いにあると思います。数は多くないかもしれませんが、ゲーム好きが高じて将来プログラマーの道を歩む人もいるでしょう。ですから、大人がゲームのデメリットばかりを強調するのは、いかがなものでしょう?

実際に触れてみてわかったことですが、子どもにとってゲームとは、つまるところ、暇つぶしです。それ以外に夢中になれることがないから、すぐ手の届くところにあるゲームに没頭しているのです。

とはいえ、圧倒的に多くの親御さんは心配し、悩んで、不安を抱えています。

「うちの子はゲームしかやりません」

「ゲームしか興味がない」

「ゲーム以外に熱中してるのを見たことがない」

こう嘆くママさんたちに、私は、

「焦ってほかの何かを見つけようとする必要はありませんよ」とお答えしています。


子どもの生活は、学校へ行く、友だちと遊ぶ、塾へ行くなど、毎日がルーティンの連続です。**子どもが行動するフィールドは、狭く、限られています。こんなに狭い行動半径では、ゲーム以外に熱中できる何かに出会えないのも道理**だと考えてみてはどうでしょう？

彼らだって、これから成長する過程でだんだんと行動半径は広がっていきます。人づきあいは多彩になり、年齢を重ねるうちに世界が広がって、暮らしのなかで見聞きする情報量も増えていきます。

たくさんの世界に触れるなかで、たくさんの刺激を受けながら、自分のやりたいものを見つけるようになっていくのです。

1
2
3
MUCHU

スルーテクを磨け!

長所〜
どこにいるの〜
出て
おいで〜
あ、
いたよ
スピー
短所
まって!
アレは
短所よ
起こしちゃ
だめ…
スルー
するよ
うん
そ〜〜〜〜っと……
んが……
むにゃむにゃ
短所

第4章

悩めるママのQ&A相談室

デコボコもよろしいようで

はーい デコでーす
ボコでーす
2人そろって デコボコでーす
デコも ボコも けっこう ええこと あるよねぇ
例えば どんなん？
デコに鳥が 巣つくったり とかー〜
ピー ピー ピピ ピー ピー
にぎやかで ええね〜〜
ボコに ネコが ハマって 寝てた りとか あるもんね〜〜
むちゃ むちゃ かわいいやん

Q1

国語の点数がイマイチなんです

中学2年の長男は、国語以外の科目はすべて平均点を上回っています。特に理数系科目と美術は、本人も「好きだし、得意科目だ」という自負があるようです。しかし、国語の成績はいつも芳しくなく、テストは常に平均点以下。これまで「もうちょっと国語をがんばったら？」とは言わないできましたが、親としての本音は、実はそこにあります。国語は学校の成績だけにとどまらず、この先の人生でもっとも重要な科目ではないでしょうか？　どうすれば本人の意欲が国語に向くでしょう？

（仮名・岩崎さん）

A 「国語＝人生でもっとも重要な科目」というのは思い込みです

「数学もいいけど、もうちょっと国語をがんばったら？」は、いちばん言ってはいけないフレーズですね。たとえば旦那さんから「掃除はよくできているけど、料理をもっとがんばったら？」と言われたらどうですか？　明らかにアウトですよね？

こんなときは、**本人が好きな得意科目を「褒めるだけでいい」**のです。「これができるのだから、あれも」というのは、本人から自発的に出てこなければ、よい結果に結びつかないものです。

ご相談のなかに「人生でもっとも重要な科目は国語」とありましたが、これは勝手な思い込み。正しくは、国語「も」重要な科目ということです。親がそう考えなければ「数学ができたって人生では役に立たない」というネガティブな意識が、そのまま言動や気配に表れてしまいます。これではせっかくの子どもの長所を、否定することになりますね。

もし子どもが国語をどうにかしたいということであれば、理数系が得意な子どもを国語ができるように導く方法があります。それは「論説・説明文系」の文章題を入り口にするということです。同じ国語でも「小説・物語系」の問題は、理数系の子どもには入りづらい傾向があります。

なぜなら「論説・説明文系」の問題は、実は数学的な論理構造をしているからです。設問の読み方、要領がわかると、一気に解けるようになります。

論理的に考える国語の問題集は、たくさんあります。まず、それを使ってみてください。

Q2

勉強する意味を聞かれ、答えられなかった

「ゲームは長所にもなりうる」という先生のお話を聞いて以来、息子（小5）には「宿題だけ先に終わらせてね」という約束をして、あとは本人に任せています。約束を守ってくれたこともありましたが、「宿題はないよ」という日が続いたので、おかしいなと思ったら、ウソをついていることがわかりました。ショックです。問い詰めると、「だいたい、何で勉強なんてするの？」と言われ、何も答えられませんでした。こんなとき、何と答えればいいのでしょう？

（仮・田中さん）

A

勉強にはちゃんと意味があります

勉強にはちゃんとした意味があります。もう一度「何で勉強するの？」と聞かれたら、

こんなふうに答えてみてください。

「150年も前から、世界中の人間は、同じ科目を勉強してきてるんだよ。もし勉強に意味がなかったら、とっくの昔に勉強することなんて消滅しているはず。それが、消滅しないで続いてるって、おかしくない?」

もし、答えが返ってきてもこなくても、話はこれでおしまい。

これは暗に、「つまり勉強には意味があるのだ」ということを伝えているわけです。「その意味が何なのかは自分で考えてもいいよ」というメッセージでもあります。

しかし、このような返答が通じるのは小学校高学年くらいまで。子どもが中・高生になると、話は違ってきます。今度は「なぜ人生には勉強が必要なのか?」と純粋に問う子が出てくるからです。「生きる意味は何なのか?」と哲学的に考える子どもに多い傾向です。

そんな子には、「脳のトレーニング。つまり脳トレだよ」という話をします。

国語は「国語的思考」を学んでいるし、数学は「数学的思考」を学んでいる。社会でいえば、地理や歴史などいろいろなジャンルがありますが、それぞれ思考法は違っています。**どの教科にもそれぞれ学ぶ意味がある**のです。

たとえば、数学は「意味がない」「将来は使わない」と、よく言われる教科ですね。しかし、数学こそ、将来の役に立ちます。

因数分解をたとえに考えてみましょう。因数分解にはややこしい「数式」がたくさんあり、自分の日常とはまったく関係ないように思えるかもしれません。ところが、あの「数式」が解けることにより、「世の中のさまざまな複雑な問題は、実はシンプルな要因のかけ算によって起きている」ということが理解できるのです。

覚えるだけの知識とは異なり、数学的な考え方は、一度身につければ一生モノ。社会に出てから直面するさまざまな問題だって、数学的な思考で解けることも多いのです。

勉強する意味は、さまざまな思考力を身につけるため。ほら、脳トレですよね？

ルールをつくるのはいいことだと思いますが、ルールは親子で決めていくことが大切です。親が一方的に決めたルールは守られない可能性が高いですから。ルールを決めるときは、まず子どもがどうしたいのかを聞き、そのあとに親が理由を含めた意見を伝えて調整しましょう。このようなルール決定の要諦だけは注意してください。

Q3

習い事が続きません。長所も見つかりません

「10歳くらいから子どもは個性を発揮しはじめる」と先生から伺ったので、娘(小6)の個性を見つけるべく、ピアノ、ダンス、書道など、さまざまな習い事をさせてきました。しかし、どれも長続きしません。何を習うのか話し合ってから決めていますし、はじめのうちは面白がっているのですが、2~3か月経つと、決まって「もうやめたい」と言い出します。飽きっぽいのでしょうか? 娘の個性を見つけたいです。従来どおり、いろいろためすのがよいのでしょうか?
(仮名・石川さん)

A

いろいろ経験している最中です

「習い事が続かない」子どものタイプは、大きく2つにわけられます。ひとつは「そもそ

もやりたくないタイプ」、もうひとつは「見切りが早いタイプ」です。「最初は面白がっている」石川さんのお子さんにはやる気が見られるので、「見切りが早いタイプ」かもしれません。**飽きっぽいのではなく、見切りが早い**のです。

「見切りが早い」というのは、もちろん長所です。見切りが早い人は、判断や切り換えが早く、言動にも無駄がありません。この長所が、先々のあらゆるシーンで役に立つことは、想像に難くないでしょう。

お母さんといっしょに決めて始めた習い事ですから、お子さんだって「せっかくだから長続きさせたい」と思っているはずです。ところが、見切りが早いために、

「だいたいコツがわかったから、もう十分」

「ほかにもいろいろやってみたいから、もうここまで」

と判断しているのです。

お子さんが望むのなら、いろいろ試してよいと思います。もし、長続きするものがあれば、それが子どもの長所につながる個性でしょう。**習い事は、たとえ長続きしなくたって、**

経験したこと自体に価値があります。

もし突出したものが見つからなくても、無理させる必要はありません。経験を重ねるなかで、子どもが自分から見つけていくはずです。

そもそも子どもの才能や能力は、簡単には見つかるものではありません。たしかに、幼稚園のころに英検に合格するような子どももいますが、極めて少数です。たいていの子どもの才能は、「地層」のように、地下の奥のそのまた奥のほうに埋もれており、地上から眺めてたって、見つかりません。

その地層を「削る」行為が「経験」です。地中に埋もれた宝石を掘り起こすつもりで、チャンスをたくさん与えてほしいのです。

Q4

友だちを傷つけているようです

小3の息子は、いわゆるガキ大将タイプ。友だちと遊んでいても「今日の遊びはオレが決める」「おまえ、オレより先にゲーム始めるなよ」と相手の気持ちを無視した発言ばかり。相手を傷つけているのではないか？ と、心配です。息子自身も、そのうちみんなから総スカンを食らうのではないか？ とおそれているようです。

（仮名・吉岡さん）

A 「失敗」を体験して、バランスのいい大人になる

いわゆる「殿様タイプ」ですね。パワーがあっていいと思います。**お子さんの長所は、「リーダーシップを持っている」ところです。**いつもエネルギーがあふれていて、自分が目上の立場になることに心地よさを感じているのでしょう。

「相手を傷つけているのではないか?」とありますが、そもそも相手を傷つけない方法なんて、子どもは知りません。「なんであいつはオレがキライなのか?」と疑問を持ちつつ、同じことを繰り返してしまいます。

ですから、**親が「こうしたほうがいいよ」「こういうときはこうするんだよ」「こうするとうまくいくから」と、教えてあげてください。**

子どもは、親から言われたことを、失敗したときに思い出します。そのときはじめて、「なるほど、ママはこのことを言っていたのか」「そうか、同じことをやったからダメだったんだ」と気づきます。こうして、嫌われた原因が自分にあったことを理解するのです。

それでも同じことを繰り返すなら、原因を子どもといっしょに考えてみてください。

出る杭は打たれます。ですから、これからの人生で、痛い目に遭うこともあるでしょう。しかし、こんな子どもはパワーがあるので、少々のことではへこたれません。打たれても打たれても、歯を食いしばります。そして、多くの経験を重ねて、バランス感覚がちょうどいい人間になっていくのです。

Q5

「好き」と「得意」のどちらを優先させるべき？

化学が得意な高2の男子。大学ではその分野を学べる学校へ進んでほしいと望んでいます。ところが本人は料理に興味を持っており、「将来は料理人になりたい」と調理の専門学校を希望しています。「手に職」という意味で心強い仕事ですが、コロナ禍で閉店する店を見るにつけ、不安を感じずにはいられません。「好き」と「得意」、どちらを優先させたらいいのでしょうか？

（仮名・安藤さん）

A

「好き」なことを優先させてください

「好き」と「得意」が一致しない場合もあります。「好きだけど伸びない」か、「得意だけどあまりやりたくない」という場合です。こんなとき、私は「好き」を選ぶよう勧めています。「好き」を選べば長続きしやすく、「継続は力なり」で、力がつきやすいのです。

「コロナ禍で閉店する店が多いから不安」という部分ですが、現時点で考えればそうかもしれませんね。しかし、仮に今から専門学校で学ぶなら、実際に彼が料理人になるころには、コロナ禍の反動で外食産業は大にぎわいとなっているかもしれません。子どもが社会に出るときには、今とは異なった世界になっていることが一般的です。

得意分野は、料理人になってからだって役に立ちます。たとえば、料理人として身につけた技術に「栄養学」の視点を加えたらどうでしょう？　おいしいだけでなく、エビデンスに基づいた身体にもよい食事を提供する。こんな道だって切りひらけるかもしれません。もし、得意分野が文学だったとしても、同様です。「太宰治仕立てのオードブル」なんて料理があったら、一度は試してみたくはなりませんか？

一見関連がなさそうな分野だって、うまく嚙み合えば、オリジナルの才能が開花します。「人と同じではない」ことが求められる、これからの時代にうってつけです。

Q6

わが子が乱暴な言葉を吐く。心配です

小4男子の母です。最近、息子がとても乱暴な言葉を吐くようになりました。ちょっと叱っただけで逆ギレして、ランドセルを放り投げ、「ママなんて死ね！」と怒鳴り返してきます。家族でテレビを観ているときも「すごいブスだな」「こいつキモイ」「ゴミだな」など、暴言の連発です。先日、夕食の感想を聞くと「日本一まずいけんちん汁だった」と言われて、さすがに落ち込みました。このまま手に負えない子になってしまうのでは？　こんなわが子の言動も、見方を変えれば長所に変換できるのでしょうか？

（仮名・庄司さん）

A 3つのアプローチを試してみてください

近ごろの子どもは「死ね」や「殺す」などの言葉を、ためらいなく口にするようになりました。ゲームやネットの影響が大きいのでしょう。学校でも「ウザい」や「クズ」などのネガティブワードを、さして悪いことだと思わずに使う子どもが増えて、一種のブームになっているようです。

これらの言葉が、さほど気にならない程度であればスルーしますが、目に余るようであれば対応することになるでしょう。そのアプローチとして3つあります。

アプローチ1 言葉の使い方について家族会議を開く

家族会議とは家族全員集合です。そこで最近の言葉使いについてどうなのかという点について話し合いをしていきます。叱る、怒るという前に「なぜそのような言葉を使うのか?」「そのような言葉を使うことで周囲がどのように感じるのか」について話し合います。

叱る、怒るという手段は、ときには必要ですが、そのときその場で使う「伝家の宝刀」であり、しかも一撃で修正させるだけのエネルギーが必要になります。中途半端に何度も使うと効果は少なくなり、ときには恨みを買うことさえあります。ですから二度とやらないと思うぐらい一撃で仕留めなければ子どものためになりません。これは、親の全愛情エネルギーを使うため、伝家の宝刀なのです。

しかし、このような話し合いの場で問題となるのが、「感情」です。親側または子ども側のいずれかが感情的になる場合が少なくありません。いずれかが感情的になった場合、話し合いは継続できません。そのときは開催延期となります。

アプローチ2 子どもの自己肯定感を高める魔法のことばを使う

相談に「ちょっと叱っただけでランドセルを放り投げる」とありますが、日常において子どもの短所について目がつき、それを中途半端に叱るということをやってきたことでしょう。したがって、この視点を変えてみましょう。具体的には「いいね」「すごいね」「ありがとう」「助かった」などの「10の魔法のことば」（拙著『子どもの自己肯定感を高める魔法のことば』に詳しく書かれています）をシャワーのように浴びせていくということです。

その際、子どもは相変わらずネガティブワードを連発してくることでしょう。それらはスルーします。また子どもが反応しなくても、言葉を連発していきます。すると、2週間もすると子どもの言動に変化が見られることでしょう。

アプローチ3 笑ってしまう

このアプローチは3つの中で最も難易度が高いものです。しかし、効果はいちばん大きいです。子どもが「こいつブスだな」と言ったら、「うわ、ブスとか言ってる」と言って笑います。「日本一まずい豚汁だな」と言われたら、「この超おいしい豚汁が日本一まずいってはじめて言われたわ」と言って笑います。

つまり、子どもの言葉を深刻に受け止めるのではなく、笑いに変えてしまうということです。すると、子どもは調子に乗るのではなく、逆にバカバカしくなって言わなくなっていきます。

Q7

勉強ギライの子どもに効果的な方法は？

小2の娘と小6の息子は、緊急事態宣言をきっかけに自宅で勉強するようになりました。でも、そもそも2人とも勉強が好きではなく、勉強させるのにひと苦労です。「勉強しなさい」と上から目線で言うのはよくないと先生に伺ったので、「そろそろ宿題の時間じゃない？」と工夫していますが、通用しません。「今まで、声がけが足りなかったからだ。出遅れてしまったのかも」と悩んでいます。どうやったら子どもたちが勉強するようになるでしょうか？

（仮名・長谷川さん）

A

「勉強したくなる」仕組みを考える

子どもが勉強をしないのは、勉強を「させられている」からにほかなりません。大人だって「させられる」仕事には、気乗りしないのではないでしょうか？　まずは前提として、**「勉強させる」のではなく、「どうやったら楽しく勉強してくれるか」という視点を持つ**ことです。

長谷川さんのような「勉強しなさい」「宿題しなさい」という指示命令型の声がけ以外に、「そろそろ勉強やったら？」「もう宿題の時間だね」といった示唆型の声がけなど、言葉を工夫しながら子どもに声をかけるお母さんはたくさんいらっしゃいます。しかし、そんな言葉で子どもが前向きに勉強をはじめた例を、私は知りません。

勉強については、言葉ではなく「仕組みづくり」をおすすめします。

子どもが自ら勉強を楽しむようになるには、

・努力しなくてもできるようになる…「習慣化する」

・好きではないが、興味を向ける…「好奇心を引き出す」

というふたつの方法があります。ここでは、4つのアプローチを紹介します。

習慣化 1

すでに習慣化しているものに勉強を紐づける

ごはんを食べる、歯をみがくなどの日常の習慣に、新たな習慣を紐づけるアプローチです。「歯をみがく前にプリントを1枚やる」「ごはんの前にプリントを1枚やる」といった方法です。すでに多くの家庭に取り入れられており、容易に習慣化されますが、子どもが小さい（未就学児など）ほうが、効果が出やすいようです。

習慣化 2

やるべきことを「見える化」する

私が提唱する「子ども手帳」は、この方法を活用したものです。実践したお母さんたちから「進んで行動するようになった」と多数の報告をいただいています。内容は、手帳にタスクを書き、できたものから赤で消してポイントにしていくという方法です。子どもはポイントがほしいから、好きではない勉強もがんばります。3週間程度続けられれば、習慣化できるはずです。

好奇心1

勉強を子どもの興味あるものとリンクさせる

算数の速さの問題で、太郎くんと花子さんが出てきたとします。『鬼滅の刃』が好きな子なら、これを炭治郎と禰豆子に置き換える。たちまち、モチベーションが跳ね上がります。鉄道好きなら、山手線と京浜東北線に置き換えてみる。とたんに勉強が面白くなります。

好奇心2

勉強を形式とリンクさせる

子どもがはまりやすい形式とリンクさせる方法です。勉強を「ゲーム化」「クイズ化」「なぞなぞ化」してみましょう。

クイズ形式なら、親が出題者で、子どもが回答者。制限時間とヒントを加えるのがポイントです。「これから出題します」「1番は○○、2番は○○、3番は○○」と出題してみましょう。

答えられなければ第1ヒントを言ってから、制限時間15秒。それでも答えられなければ第2ヒントを与えます。ヒントがあると、子どもがさらに考えて正解に近づけるため、「自分で解けた」という実感が生まれます。

うまく演出しながら盛り上げると、子どもは集中力を発揮します。「またやりたい」「もう一回やらせて」と、催促することも多いでしょう。

Q8

勉強と習い事を両立させたい

3年前からピアノを習い始めた小6の娘。毎日楽しそうに練習しているので、これは間違いなく長所だと実感しています。ところが最近、練習時間がどんどん増えています。もうすぐ中学生ですし、このままでは宿題がおろそかになり、成績が下がるのではないかと心配です。本人は「宿題はちゃんとやるからピアノは続けたい」と言います。長所は伸ばしたい、でも、勉強も大切。練習時間を区切ったほうがいいのでしょうか？　習い事と勉強を両立させる方法を教えてください。

（仮名・米原さん）

A ピアノを続けることで、宿題をするエネルギーが増加します

両立を考えると、多くのお母さんは「どちらかを減らして、どちらかを増やそう」とします。米原さんもそうですね。

すでに成績がガタガタで、本人も危機感を感じているのなら、その方法が必要なケースもあります。しかし、米原さんのお子さんはそうではありません。先々の不安によってピアノの時間を減らされても、ストレスがたまるだけです。宿題をする時間ができたって、勉強に手がつかないでしょう。

大事なことは、子どもの心の状態を見ること。**「何をしたら子どもの気持ちが上がるのか?」に焦点を合わせてください。**

米原さんに伝えたいのは、「どちらも減らさずに両立させる」方法があることです。ピアノは、今までどおりガンガンやらせてください。すると、子どもは限られた時間のなかで宿題を終わらせる方法を編み出します。気持ちが上向きになれば、「やらなければならないこと」に立ち向かうエネルギーも湧くのです。大好きなピアノを続けるために、スキ

マ時間を使って、宿題も消化するのです。

たとえば、宿題は一気にまとまった時間でやるのではなく、10分単位で分割して生活のなかに入れてみてください。「スキマ時間」を使うという方法で、できる子どもたちはよくやっています。そうすることで、宿題は難なく終えることができるはずです。

長所（＝ピアノ）に引っ張られて、成績が上がることもあるはずです。私の塾の生徒にも「野球部の練習で朝も夕方もクタクタなのに成績はトップ」という子がいました。大人の世界でも、仕事がデキる人ほど趣味を充実させている例が、たくさんあるのではないでしょうか？

Q9

私立へ行かせるか？　それとも公立か？

小3の娘がいます。「長所は5教科だけにあるわけではない」という石田先生のお話を伺ってから、勉強だけに気持ちが向かうことがなくなりました。ところが最近になって、まわりのママ友がこぞって子どもを塾に通わせるようになりました。うちの子も中学受験をさせるべきか考え始めました、娘は、黙々と勉強をするより、友だちといっしょに遊んでいたいタイプ。私立中学の向き不向きがわかれば、参考にしたいです。

（仮名・松岡さん）

A

「早咲き」or「遅咲き」を見極めて判断するのが賢明です

まず、私立中学と公立中学の違いを説明しましょう。

私立中学の特徴のひとつに、学力で選抜されているということが挙げられます。学校サイドが求めるタイプが集められているため、生徒のレベルがそろっています。それだけに、成績が下位になると劣等感を抱きやすいのも、また特徴のひとつです。

学力自体は学校によって開きがあります。それでも私立中学の人気が高いのは、**環境が整っているイメージが強い**ためです。最先端の教育を整備する私立も少なくありません。実際、環境によって子どもの実力が左右されることは研究結果で報告されています。

いっぽう公立中学は、選抜されていない、さまざまな生徒が通っていることが特徴です。学力はもちろん、家庭環境などにも幅があります。まさに、社会の縮図です。**学校に通うことで、これからの時代に必須となる多様性を学べます。**

学力面だけを見ると、意外かもしれませんが、私立に通う子どもたちよりも高い子どもたちもたくさんいます。その証拠に、公立中学から公立高校へ進学し、トップレベルの大学に合格する子は極めてたくさんいます。したがって、公立に進学したからといって学力が低いわけではありません。

私立、公立、つまり、どちらもよいのです。

上記の特徴を踏まえたうえで、子どもの「向き・不向き」を考えてみましょう。「早咲き」か「遅咲き」か？　子どものタイプによって変わります。

○私立に向いている子ども（早咲きタイプ）

- **精神年齢が高く、大人っぽい**
- **勉強をするのが好き**
- **まわりの影響を受けやすい**
- **小学校の勉強はバカバカしくてやっていられない**

すでに勉強の楽しさに目覚めているのが「早咲き」タイプです。勉強に興味があり、勉強に専念できる環境を整えると、学力が伸びやすくなります。まわりの影響を受けやすいのは悪いことではなく、どんな環境にも順応できるという長所です。

「小学校の勉強はバカバカしい」というのは子どもによりますが、この傾向が強いと勉強に飽きて不登校になることもあります。塾に行くと知的好奇心が刺激され、いきいきする子どもです。

○公立に向いている子ども（遅咲きタイプ）
・もっと遊んでいたい、子どもらしい性格
・感受性の高さを生かした得意分野を持っている
・そもそも勉強が好きではない
・自分のペースをつかみやすい、まわりの環境に流されにくい

「遅咲き」の子は、勉強より遊ぶことに興味がある子どもです。中途半端に勉強を詰め込むと、息切れすることがあります。小学生時代は勉強よりも、存分に遊ばせるのが得策です。感受性の高い、アーティスティックな遊びが好きな子もたくさんいます。

松岡さんのお子さんは「遅咲き」タイプだと見受けられます。**小学校のうちは、遊びた**

い欲求を十分に満たしてあげるといいでしょう。学力を引き上げるタイミングは、子どもに合わせるとうまくいきます。中学や高校でリセットがかかり、勉強に向かうことがよくあります。

塾が気になるなら、中学受験を目標とするのではなく「習い事」として通うこともできます。「楽しいところみたいだよ」とポジティブな声がけで誘ってみてください。子どもが興味を示すようなら、通わせてもよいと思います。

お子さんが高学年にもなれば、判断を子どもに託すのがいちばんです。

Q10

中学受験で入った学校でトラブルが発生

息子（中１）はこの春、第１志望の私立中学に入学しました。ところがレベルが高過ぎてついていけないようです。先日、学校で暴れるトラブルがあり、先生に呼び出しをされました。「学校がつらい？ どうしたい？」と聞いても、「は？」「別に」とのらりくらり。このままでは見ていられません。

（仮名：山本さん）

A

今の学校がすべてではないことを教えてあげてください

心配するお気持ちはわかります。お子さんは「成績が悪い自分はダメなやつだ」と自暴自棄になっているかもしれません。**今がうまくいかないのなら、ほかにも選択肢があることを伝えてあげてください。**

「これからどうするの？」と抽象的な疑問を投げるのではなく、**具体的に、選択肢を示すのが大事なポイントとなります。**

［選択肢❶］従来通り、学校をそのまま続ける

［選択肢❷］塾や家庭教師について、勉強を強化する

［選択肢❸］ほかの私立中学に編入する

［選択肢❹］公立中学に転校する

これらの選択肢について、それぞれメリットやデメリットもあわせて伝えてください。子どもは先のことはよくわかりません。経験したことがないからです。ですから単なる選択肢だけでは選択ができません。どのようなメリットとデメリットがあるかまで示すことで、子どもはイメージできて、選択しやすくなります。

そして、「どの選択でもいい。どれでも間違いではないから。あなたが選択したら、私はそれをサポートするよ」と安心させて、フランクに提案するのがベターです。

親の意見を入れてもよいですが、最終的な判断は子どもに任せます。なぜならば、親の意見にしたがって選択すると、何か問題が起きたとき親の責任にするからです。「親の言う通りにやったのに良くなかった」と。

このように親は選択肢を出し「決定するのは子ども」という構造をつくることが、子どもを自立させていくための第1歩になります。

Q11

片づけができません

小3の娘はとにかく片づけをしません。イライラしないように心がけても、ついガミガミ言ってしまいます。最近はあきらめモードで「お願いだから片づけて…」と力なく説得することもあります。たまに片づけることがあるので、すかさず「いいね」「さすが」と「魔法のことば」を連発して褒めるのですが、また元にもどってしまいます。

（仮名・片岡さん）

A

本質的な原因を探ってください

もしかしたら、片づけをしないことに別の問題が潜んでいるかもしれません。その問題を根本から解決しないかぎり、同じことを繰り返します。なぜ片づけをしないのか？　本質的原因を探ってみてください。

まず、「なぜそれが起こるのか？（Why）」を3回、頭のなかで繰り返します。

「なぜ片づけないの？」

「上手に片づけられないから？」

「どうして片づけが上手にできないんだろう？」

すると、だんだん根本的な問題点（What）が見えてきます。さらに、どうやったら手を打てるのか（How）。この手法に当てはめると、ドミノ倒しのように問題は解決します。

この方法で大事なことは、「Why」「What」「How」の順番を守ること。これは、法人の企業研修などでも用いられるメソッドです。

片岡さんのケースでは、どんな本質的原因があるのでしょうか？

①そもそも片づけ方を知らない

②片づけより別の楽しいことにひかれる

③片づけをしないことで親の注目を集めたい

①は、そもそもスタートラインに立っていません。間違った方法で片づけから心が離れてしまう前に、ひとりで片づけられるよう方法を教えてあげましょう。もしご自分が苦手なら、YouTubeの動画で片づけ方を学ぶのもいいでしょう。
②は「片づけをしてから次の遊びに移る」など、ルールをつくると効果があります。
③は、コミュニケーションを増やすことで心が満たされると、変化が起きます。

このようにして原因を特定することで適切な解決策がでてきます。ただ、この子の場合、片づけはどちらかというと長所には入っていません。したがって、片づけができるようにするよりも、別の長所に目を向けてみてください。

「たまに片づけができたときに魔法の言葉をかけても元に戻ってしまう」とのことですが、その言葉は、たまにできた短所よりも、子どもの長所に対してかけてあげてください。「長所がさらに伸びる⬇その結果、短所は自らで是正していく」という流れを意識してみるといいでしょう。

Q12

友だちがいないのが心配

小学5年の娘は、仲のいい友だちがいないようです。学校でも塾でも、スイミングでも単独行動が多く、家にいるときは、黙々とひとりでビーズ遊びをしています。特にいじめられているわけではありませんが、親として心配でなりません。娘は「ひとりで平気」「人といると疲れちゃうよ」と言っています。中学進学を控えており、これから先の人間関係を考えると、不安で暗い気持ちになってしまいます。（仮名・近藤さん）

A

前向きな言葉をかけてあげましょう

わが子がいつもひとりでいる状況は、大変不安だろうと思います。近藤さんがネガティブな発想になるのも仕方がないことです。ただ、**いじめにあっていないのなら（ここは大**

事な確認事項です）、お子さんは「今はひとりでいることが好きなのだ」と解釈しておくことです。

一般に子どもたちは、友だちといっしょに行動することを望み、友だちと遊ぶのが「普通の姿」であるかもしれません。でもなかには、ひとりを好む子どもだって若干数はいるのです。親からすれば、ひとりを好む子どもは「普通」でないかもしれません。でも、「普通」がだれにも当てはまるとはかぎりません。今の娘さんにとって、ひとりでいるほうが「簡単だし、ラクだし、居心地がいい」のでしょう。

将来のことを心配されていますが、**中学へ進学して環境が変わると、ガラリと性格が一変するお子さんも少なくありません。**「ひとりの時間が好き」という傾向は残っても、将来的に孤独に浸ってばかりの状態が続くことはまずないでしょう。

はしゃがない。群れない。ビーズが好き。このあたりがお子さんの行動から見えてくる長所です。

落ち着いている。信念がある。ひとりでできる。他人の意見に振りまわされない。そんな素敵な一面も伝わってきます。

娘さんにはきっと、クリエイティブな素養があるのでしょう。

親が心配してばかりでは、子どもが不安を感じてしまいます。

「友だちがいないけど大丈夫?」

ではなく、

「ひとりでできるなんて、さすが!」「ビーズが本当に上手だね」

と、お子さんの長所を伸ばすような声がけをしてあげてください。

Q13

夫の短所いじりをやめさせたい

おっとりした性格の息子（小２）。それが息子の取り柄だと思いますが、困るのは夫の対応です。息子は何をしても時間がかかるので、外出前にモタモタしていると「だからダメなんだよ」、テストの成績が少しでも下がると「お父さんのようになるにはもっと勉強しなさい。大人になってから競争心がないのは困るだろ？」と。そのせいか、最近の息子は自信がなさげな発言が多く、自己肯定感が下がっている気がします。夫の短所いじり、どうしたらやめさせられますか？（仮名・奥村さん）

A

「魔法のことば」で夫の自己肯定感を上げることです

そもそも、どうして子どもにダメ出しばかりするのでしょうか？　もしかしたら、自己肯定感が低くプライドが高いパパなのかもしれません。こんなパパは、ストレスをためると、自信がないぶん、イライラし始めます。子どもを見ても短所ばかりが目について、なじってしまうのです。

そこで、「そんなこと言わないで！」「この子だってがんばってるんだから」などと諭そうとしても効果は期待できません。人はそんなに簡単には変われないものです。

ぜひ試してほしいのは、「魔法のことば」で夫の自己肯定感を上げてしまうこと。ほかにも方法はありますが、言葉だけなら簡単です。

「さすがパパね！」

「細かいところにも気づいてすごい！」

「ありがとう。助かった」などなど。

説得するのではなく、さりげなく持ち上げてください。ことあるごとに使って、旦那さんの心を上向きにしてしまいましょう。**日常のなかでさりげなく、軽い感じで認めるのがミソです。**

奥村さん自身が変わるわけではありません。**自分が変わるのではなく、相手へのアプローチを変えるだけ。**必ず、効果があるはずです。

奥村さんに限らず、「夫がイライラのもとになっている」という相談が増えています。コロナ禍によるリモートワークが増えたせいでしょうか。そんなとき、決まってお伝えするのが、「男はみんな5歳児だと思ってください」ということです。

外見は人生経験を重ねてきた立派な大人ですが、内面は「5歳の子ども」だと思えば対応も変わるはずです。子どもと同じように、心を満たされると、相手の話を聞く耳を持ちます。それが確認できたら、場合によっては「子どもにきつくあたるのはやめてほしい」と正直な気持ちを伝えてもいいでしょう。けんかにはならないのではないでしょうか。

なかには「夫とは話したくもない」というママさんもいらっしゃいますが、しばし「女優」になった気分で演じてみてください（笑）。旦那さんの変化を楽しめることでしょう。

パスあります♡

キラキラ
私はハッピーゲート通るにはパスが必要です
お持ちですか？
HAPPY
もちろん♪
長所
ではどうぞ
キミに幸あれ
HAPPY

パパにも効いたよ♪

寝てるなら手伝ってよ
ジャマ〜
仕事で疲れてるの!! 絶対やんない
うるせーな
イライライラ
忘れてた！男の人って子どもなんだった
よし！
お仕事お疲れさま 今夜はパパの好物よ♥
パパいつもありがとう♥
洗い物パパがやろうかな
効果てきめん♪

第5章

ママが笑えば、子どもは賢く育つ

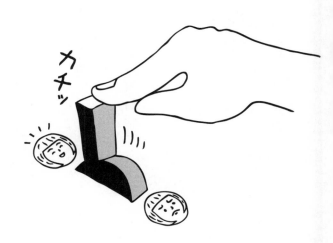

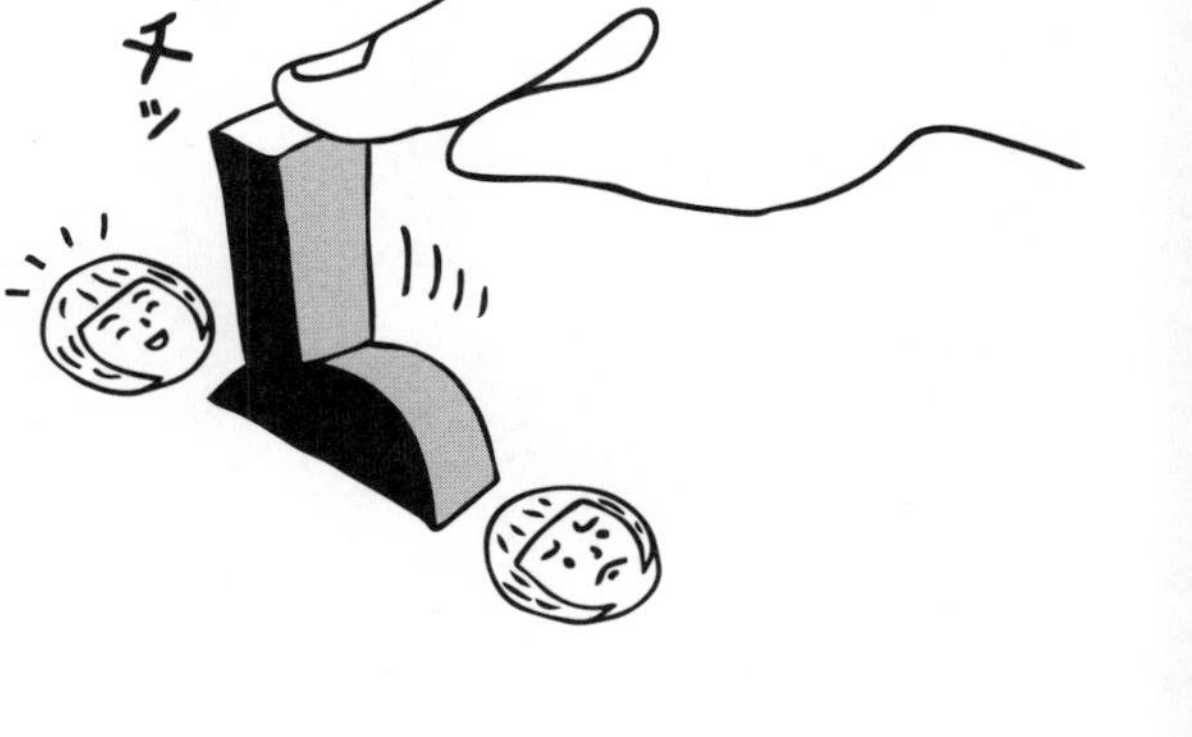

子育てにシリアスはいらない

「子育ての悩みと子どもは関係がない」とお話ししたら、どう感じますか？

ママの心をしんどくさせる悩みの答えは、実は子どもにあるのではなく、ストレスをためているママの心にあるのです。子育てすれば、毎日、大なり小なり、さまざまな問題が発生します。それはときに大変な事件に思えますが、いずれ解決していきます。

子どもは、「目の前にある問題や障害」が原因で、折れたりねじれたりしません。そのとき、親がいったいどういう態度をとったのか？　その一点を見ています。**問題が起きたとき、ママが笑っていれば、子どもは「何だ、大丈夫なんだ」「安心していいんだ」と気**

持ちをラクにできるのです。

おでかけの直前、さぁ出発！　というじぶんになって、おもちゃを広げ出すのが子どもです。明日持っていかなければならない提出書類を、夕食が終わって寝る準備をするころに、おもむろに差し出すのが子どもです。

イライラするな、というほうが無理ですよね？

こんなとき「何やってるの！　早くおもちゃをしまいなさい」「何で今ごろプリントを持ってくるの！」と怒るのではなく、子どもの行動をいったん受け入れて「え？　このタイミングで？」「こんな夜分に絶妙過ぎる！」と、笑うことができたら？　ママの反応で、子どもの「反発のエネルギー」は、ふわりとゆるみます。

「ちょっとくらい遅刻してもいいかな」
「大したことじゃないかもしれない」
「人生においてそこまでの大事件じゃないよ」

くらいの余裕を持てたら、素敵です。

ちょっとした気の持ちようで、子どもに振りまわされているという意識は減り、イライラすることだって少なくなるでしょう。

イラつく原因が自分の心にあるのだと気づけば、子どもの不条理な行動も気にならなくなっていきます。


笑うという行為は「大丈夫、大したことないよ」「あなたに好意を持っているよ」というメッセージを内包しています。

人は、ユーモアのある相手を敵だとは思わないものです。子どもだって同じ。**ママが言いにくいことを言うとき、注意をするとき、たしなめるとき、笑いの力は絶大です。**子育てに笑いは不可欠であり、笑いは救いでもあります。笑ってすませることで、事態が好転することだって多いでしょう。

楽観的に考えるだけで、解決に向けた新しい方法が見つかることもあります。「ママカフェ」に参加された、あるママさんの家庭では、２０２０年の緊急事態宣言で、家庭内でも緊急事態宣言を出したそうです。「世の中が大変だから、うちでもみんなで協力して家事を分担しよう」と。すると、ゲーム感覚で子どもたちが率先して家事を手伝ってくれるようになったとか。

目の前の事象について、人間はまずデメリットを先に考えようとします。深刻（シリアス）になれば、イライラが増すのは当たり前。ささいなことでさえ「悩み」や「大問題」に発展するかもしれません。

ところが、そのときもし楽観的に対処できれば、冷静な目で事象を捉えられるため、解決策も見つかりやすいわけです。

腹立たしいと思える出来事が起きたとき、ぜひ、心のスイッチをリセットすることを思い出してください。

「笑って生きる」ことを選ぼう

「中学受験をすべき」
「仕事より育児を優先すべき」
「料理は手づくりすべき」

こんなふうにたくさんの「すべき」を抱えて、パンク寸前になっている、謙虚でまじめなママさんたちを見てきました。

世間で常識と思われていることは、ときとして同調圧力となり、親を苦しめます。できてない、努力が足りない…と凹んで、イライラが募ります。

それらは、本当に常識なのでしょうか？　ときには、自分にそんな問いを投げかけて、思考をニュートラルにしてみてください。

常識だと思っていたことは、意外とそうでないことも多いものです。

「みんながやっているから」「有名な人が勧めていたから」と鵜呑みにして、よく考えずに受け入れてしまったものもありませんか？

おいしい手づくりごはんや、掃除の行き届いたお部屋も「すべき大事なこと」かもしれません。でも、子どもにとってはさして大切なことではありません。

子どもの心に影を落とすのは、親の不機嫌そうな顔や態度です。

「母が料理が苦手だったから、ボクはグレたんだ」なんて言う子どもに出会ったことがないでしょう？

では、常識という名の「タガ」をはずして、親は何を基準に行動すればいいのでしょうか？

選ぶなら、Have to（やるべき）ではなく、Want（やりたい）を基準にすることをおすすめします。「これがやりたい」と思えることなら、選んでＯＫ。それを選択することで、自分のやる気が増大するかどうか、それを手がかりにするのです。

◎Have to（やるべき）→Want（やりたい）

「中学受験をすべき」

↓「子どもが望んでいるし、わたしも受験させたい！」ならＯＫ

「仕事より子育てを優先すべき」
↓「子どもの野球につきあいたいから、夕方までに仕事を終わらせよう」ならＯＫ

「料理は手づくりすべき」
↓「自分が出来立てのパスタが食べたいんだから、つくってしまおう」ならＯＫ

こんなふうに思えるなら、ぜひ実行してみてください。自分に必要なものは、「want」

のなかにあるのです。

短所ではなく、長所を見る。マイナスではなくプラスを見る。苦ではなく楽を見る。世間ではなく、子どもそのものを見る。

見える世界が変われば、子育ても変わります。

目指したいのは「できる親」ではなく「人生を楽しめる親」です。

世の中に完璧な親なんて存在しません。**今のままで大丈夫。できないことは認めて、ラクになってみてください。**これからは、「笑って生きる道」を選んでみるのです。

身近な「アウトプット」作戦

イヤなことを忘れるには「話す」ことがよい。「話す」とは「放す」ことでもある…と、何かの本で読んで、ぽんと膝を打ったことがあります。

子育てに限らず、イライラを軽減するには「仲間をつくること」が効果的です。ひとりで考えていると、煮詰まって認識が偏りだします。「つらいよ」「しんどいよ」とだれかに話をして、なぐさめ合ったり、励まし合ったりするのです。

「人づきあいがうまくできない」「人や世間は冷たい」と嘆くママさんも多いのですが、こんな人は、不器用でも面倒くさがりでもなく、「助けてもらい下手」さんなのだと思います。助け合いを経験してみれば気持ちがラクになり、肩の力も抜けるものです。まずは、気軽に他人とコミュニケーションをとることを心がけてください。

私が主催するカフェスタイル勉強会「ママカフェ」は、今では全国で開催されています。勉強会といっていますが、堅苦しいことは何ひとつなく、おいしいスイーツを食べながら、子育てや教育についておしゃべりをしています。というよりも、楽しいのでほとんど笑ってばかりです。

参加者はポジティブでアクティブな人たちが多いと思うかもしれませんが、まったくそうではありません。みなさん悩みを抱えて、深刻な状態だったりしますから。それが、帰るころには満面の笑顔になっています。自分の悩みを話したり、ほかの人の悩みを聞いたりすることで、悩みが「放された」のでしょう。

さらに、その状態で家に帰ると子どもの長所が見えてくるのだとか。心の状態が変わったからです。前向きの気持ちになった親は、子どもにプラスの言葉がけをするようになり、結果として子どもが変わっていきます。

このように同じような悩みを持つ人たちが集い、アウトプットすることで、自分自身が変わり、子どもへの対応も変わっていくのです。

自分がそのままの自分でいられる「場所」や「空間」を持ちましょう。**話す（＝アウトプットする）ことは、情報や物事の本質を知る（＝インプットする）ことにもつながります。**これは、長所の見つけ方にも通じます。

たとえば、子育てをテーマに、ＳＮＳやブログで発信するのもよいですね。「こんなよいことがあった」「こんな成長があった」というネタを書きたいから、子どもをよく観察するようになります。

今まで見えてなかった子どもの長所が見えてくるでしょう。

アウトプットをすればインプットもできて、まさに一石二鳥。フォロワーが増えなくたってかまいません。自分らしい発信の場を持ち、楽しむことが目的なのですから。

「好奇心」に満ちた「子ども大人」になる

「何でそんなことするの？」

「始めたと思ったら、もう飽きちゃった？」

理解できない子どもの行動はそこかしこにあります。

たしかに子どもは移ろいやすく、飽きっぽいもの。それは、子どもが「好奇心」の塊だからです。生まれてからまだ間もないため、見るもの聞くものすべてがおもしろい。好奇心旺盛だから、あちこち落ち着きなく動きまわるのです。

「飽きっぽい」と思うかもしれませんが、子どもは経験を重ねているだけ。子どもにとっては「今」がすべてなのです。何しろ、子どもが先（未来）のことを考えられるようになるのは、例外はあるものの、一般的には、女子で小学校5年生くらい、男子で中学2年生の夏以降からなのです。その証拠に、子どもは先を見て、今を準備することをしません。子どもは目の前の興味や関心で行動する傾向にあるのです。

「子どもは好奇心で動いているのだ」と発想しましょう。すると、子どもの「今」の気持ちがわかるようになります。「何で今それをやるんだ?」というイライラも減っていきます。

親もまた、子どものように生きればいいのではないでしょうか?

そもそも好奇心は行動力の源であり、人をワクワクさせるエネルギーの源です。大人にだって備わっているものです。

しかし、子育てするなかで毎日がパターン化して、好奇心を封じ込めてしまいがちになります。

そんなとき、子どもを眺めてみてください。子どもを観察してみてください。子どもが好きな戦国武将には共通点があり、それがわかると、子どもの理解につながるかもしれません。興味のなかったマンガやゲームにだって、愛すべきキャラクターが描かれているでしょう。

未来を妄想して不安に陥るのではなく、「今」を楽しむことを学びましょう。

ベンチャー企業の社長たちのように、子どもみたいに好奇心いっぱい、少年・少女のような目線を武器に、日本を変えていく人間だってたくさんいます。

親の楽しみが子どもの学びに！

家庭と学校を行き来するような狭い行動半径で成長する子どもにとって、親が与えられるのは「情報」です。

「こんなイベントがあるけど、行ってみる？」「ほら、この体験学習がおもしろそうだよ」と、スマホで情報を見せながら声をかけるのはとてもよい提案です。日常とは異なる空間に出かけ、日ごろ味わえない体験をするのは、子どもの世界を広げる手引きになります。

ただし、親がよかれと思って強制的に連れていくと、ロクなことにはなりません。きっかけを与えるのはグッドですが、行くかどうかの判断は子ども任せにしてください。決定権を子どもに与えるのです。

私は以前、東大の大学院で教育学を学んでいました。そのとき知り合った東大生たちとは現在でもつながりがあり、「ママカフェ」にゲストとして登場してもらうこともあります。

驚いたのは、**多くの東大生が「子どものころに親が楽しむ場所によく連れていかれた」と異口同音にいう**ことです。

もちろん、子どもの興味をはかって遊園地やテーマパークへ出かけることもあったでしょう。しかし、東大生が楽しそうに思い出すのは、親自身がワクワクしてた場所、野球場やコンサート会場、映画館や、釣り掘のほうだったのです。

食べ歩き、山登り、キャンプ、秘湯めぐり、海外ミュージシャンのコンサート、京都の禅寺など、子どもにしてみれば「自分がいつもいるところとは気配が違う場所」だけれど、親が本気で楽しむ空間にいっしょにいることは、格別な体験になるのです。

先日、集英社の編集担当の人にお願いして、マンガが大好きな長男といっしょに「週刊少年ジャンプ」編集部を見学させていただきました。

そのとき、息子が何より感動したのは、人気マンガの貴重なナマ原稿やファンがほしくてたまらないはずのポスターなどではなく、マンガを愛してやまないN編集長の熱いトークと、現場で働く編集者のみなさんの熱気だったといいます。

大人が本気で楽しむ姿は子どもに伝わり、はかり知れない影響を与えます。これまで知らなかった「大人の現場」をじかに見た子どもは、「大人って楽しそうだな」「人生ってきっと面白いんだな」と、肌で感じるのです。

人生に必要不可欠な学びとは、こんなところにあるのかもしれません。

子育ては実験と似ている

子育ては、実験の繰り返しだと考えています。実験と聞いて「え〜？」と思われるかもしれませんが、まさに子育ては試行錯誤の連続。ですから、あえてわかりやすく「実験」という言葉を使っています。

どのような子育てのアプローチがいいのかは、やってみなければわかりません。子育てには絶対唯一の正解は存在しません。あるのは、その子にあったアプローチだけ。ですから、毎日が観察と実験の繰り返しです。

たとえば、「他人の子のように接してみる」というのも面白い実験です。

食事中に子どもが水をこぼすと、「え！　また、こぼしたの？　早く拭きなさい」と諭すママがいますね。でも、もし、それがよその家の子どもだったら、どうですか？「だいじょうぶ？　ズボンは濡れてない？」「拭いてあげるね」のような反応をするのではないでしょうか？

こんな実験を試してみてください。いつもは厳しいママが、急にウソのようにやさしくなる。子どもは、目をまるくしてビビるはずです。

いつもの声がけを変えてみたらどうなるか？　視点を変えてみたらどうなるのか？　それを実験として、試してみる。それが子育ての楽しいところなのです。お子さんはどんな反応をして、どんな行動をとりましたか？　面白い結果が待っているかもしれません。

深刻な悩みがあると、その悩みがずっと続くという錯覚に陥りがちです。また、子どもが成長するとともに、悩みの種類や内容は変わっていきます。今抱えている悩みは、来年は別な何かに変わってしまうでしょう。

とすれば、もっと毎日を楽しみませんか？

目の前の子どもの年は2度とやってきません。5歳の子であれば来年は6歳です。また違った子どもの姿や状態になります。日々変わっていくのです。今しかできないのなら、楽しみながら実験をしてみる、というスタンスでいいでしょう。

才能は植物の発芽と似ています。発芽に必要な水を与え、温度を適切に保つことが大切です。過剰に与えると根腐れしますし、病気にだってなるでしょう。同じように、**子どもに与える愛情もかけ過ぎになっていないか、点検してください。**

親の思いが強いほど、あれもこれもと足し算をしてしまいます。子育ては、シンプル・イズ・ベスト。いつも引き算を意識して、いらない感情を捨てるくらいのほうが、うまくまわっていきます。求めたら与え、与え過ぎたらストップする。子どもをよく観察していれば、わかることです。

子育てに正解はないのですから、失敗したっていいんです。失敗したら、学べばいいのです。

ママが笑えば

最後に相談をふたつほどご紹介します。

「『お母さんが好きなことをして楽しんでください』という提案はうれしく感じるのですが、飲み会やランチ会、習い事などを楽しんでいると、夫から『子供が受験で大変なときに何をやってるんだ！』と怒られました。さすがに子どもに申し訳ない気がします。やりたいことを、なかなか楽しめません」（仮名・上野さん）

もうひとつ。

「『お母さんがまず楽しむことが大事』とおっしゃることに抵抗があります。おいしいスイーツや旅行も、子どものことが気になって、その気になれません。もし、子どもが希望の中学に受かったら、安心して好きなことを楽しめるはず」（仮名・田原さん）

「ママ自身が自分の人生を楽しみましょう！」というメッセージをお伝えすると、よく受ける相談です。

楽しみましょうというと、飲み会、ランチ会、コンサートなどもありますが、何もそのような場にいかなくても、家にいたって楽しみを見つけることはできます。

特に子どもが中学受験などで大変なときに、自分だけ楽しむことに罪悪感を持つこともあるでしょう。しかし、いっしょになって深刻になり、大変さを共有しても、子どもは余計にしんどくなるだけです。もちろん内心はドキドキで緊張感もあることでしょう。しかし、それをそのまま表情に出したり、言葉にしたところで何も変わりません。

しかも、フラストレーションが溜まった状態では子どもの短所が見えてくる。それを指摘して、事態が悪化してしまうことのほうが深刻だと考えています。ですから、日常の中に楽しみやワクワクを見つけることのほうが健全なのです。

たとえば、朝食には超おいしいシリアルを用意しておきます。すると、早く食べたいので早起きしてしまいます。笑顔でこのおいしい朝食を食せば、もう気分は上々。こんな簡単なことだっていいのです。このような楽しみなら、中学受験をする子どもがいても罪悪感は出てこないのではないでしょうか？

子どもの世界観には、親の世界観が影響していると言われます。子どもが豊かな人生を送れるかどうかは、親が充実した日々を送っているかどうかにかかっています。**ママが人生を楽しみ、笑顔が少しでも増えれば、子どもは幸せです。そんなママを見て、子どもは勝手に成長し、自分らしさ（長所）が発揮できる子になっていきます。**

本書も終わりに近づいてきました。最後にひとつこちらを書いて、本書を閉じたいと思います。

「親が子どもにできることは何ですか？」と聞かれたら、次の3つであると答えます。

①認める
②見守る
③ワクワクする

叱る前に認めましょう。見守って、考えさせましょう。ワクワクすればそれが子どもに伝播します。

子どもを変えるのではなく、まず自分が変わりましょう。

自分がワクワクすることに焦点を当ててみてください。

すると、子どもの長所が見え、言葉となり、子どもの未来が変わります。

おわりに

私は20歳で起業し、塾を開設して以来、実に多くの子どもたちと出会ってきました。もちろん、そのなかには勉強ができる子もいましたし、できない子もいました。でもひとりとして才能を持っていない子はいないと感じるようになったのです。というのも、400人近い子どもたちを指導する過程で、自然とできるようになった「あること」があったからです。

それは初めて会った子の「長所」を見てしまうという習慣ができたことです。初対面で会うと「どのような子なのか?」ということをまずは見ていきますが、そのなかでも「この子を伸ばす可能性（長所）はどこにあるのかな?」と思うようになっていたのです。短所はほとんど見えなくなりました。なぜなら、はじめに長所を伸ばすほうが、総合的に伸びることを知っていたからです。

この方法は経営の世界でもよく言われることです。売れ行きの良いA商品と売れ行きの悪いB商品があった場合、B商品が売れる方法を考えて力を入れると総合的に売上げが減ります。しかし、売れ筋の良いA商品をさらに売れるようにしていくと総合的に売上げが上がるという法則があります。人間も同じように、良い部分をさらに伸ばすことで、全体が伸びていくという法則があり、これは人財育成のプロたちが異口同音に唱えていることでもあります。

そのような原理があるため、私は、30年以上前からこの方法をとって子どもたちを育ててきました。その後、私が直接育てるだけでなく、多くの保護者の方にこの方法をお伝えするようになりました。特に「ママカフェ」ではママさんたちにいつもお話しています。実際にこの方法をとったママさんたちは驚きます。

「なぜか、今までやりたがらなかったことを子どもが自主的にやり始めた」と。不思議なことでも何でもなく、法則なのでそうなるわけなのですが、実践するまでなかなか信じられないという方が少なくありません。

ですから、まずは実践してみることをお勧めします。やってみないとわからないですから。

最後に一点、補足しておきます。この補足は長所を伸ばす話になると必ず出る疑問であるため、本書の中でも若干触れていますが、あらためて最後にもう一度書いておきます。

「長所ばかり見ていては、短所の是正もしないといけないことがありますよね。そのときはどうしたらいいのでしょうか。何でも肯定的にばかり見ていて大丈夫なのでしょうか？」

もちろん、修正すべきことがあるときは、修正してもいいでしょう。緊急で修正すべきときもあるかもしれませんから。その場合は、感情的に怒りながら命令口調で言うのではなく、冷静にやり方を教えてあげてください。

しかし、この「感情」が重要なポイントになるのですが、これがなかなかむずかしいのです。イライラ、ガミガミ、モヤモヤ状態では子どもの短所や欠点しか目に入らない傾向があります。すると感情的に短所是正をしてしまうのです。ときにはそういうときがあってもいいかもしれませんが、それが常態化してしまうと問題が起こるのです。

ですから、まずは長所を見ることから始めることをお勧めしています。そのためには親の心が上向きになっていくこともポイントのひとつでしょう。また、具体的に「短所→長所変換リスト」も載せました。今まで、短所と思っていたことが実は長所であったということに気づくことで、見え方が変わるかもしれないからです。

こうしてみると、短所の是正から入るよりも、長所を伸ばすことから入ってみるほうが、はるかにメリットが大きいと実感できると思います。

以上、これで本書は終わりになります。最後までお読みいただきありがとうございます。またどこかでお会いできます日を楽しみにしております。

リモートワーク中の自室にて　　　　石田勝紀

石田勝紀

いしだかつのり

1968年、横浜市生まれ。20歳で学習塾を創業。これまで3500人以上の生徒を直接指導する傍ら、セミナーなどを通じて、のべ5万人以上の子どもたちを教えてきた。34歳で、都内私立中高一貫校の常務理事に就き、経営、教育改革を敢行。現在は「日本から勉強嫌いな子をひとり残らずなくす」という信念のもと、全国各地でママさん対象のカフェスタイル勉強会「ママカフェ」や講演会を開催、SNSでの発信にも力を注ぐ。『東洋経済オンライン』の人気連載コラムは、累計1億PV超（2021年2月時点）を記録している。主な著書に『子どもの自己肯定感を高める10の魔法のことば』（集英社）、『同じ勉強をしていて、なぜ差がつくのか？』（ディスカヴァー・トゥエンティワン）、『小学生の勉強法』『中学生の勉強法』（以上、新興出版社啓林館）はじめ、多数の書籍を出版している。

●公式サイト
http://www.ishida.online/

●公式ブログ
http://ameblo.jp/edu-design/

●公式LINE
line://ti/p/@guk1682f

●公式Facebook
http://www.facebook.com/ishidanet

子どもの長所を伸ばす
5つの習慣

2021年5月15日　第1刷発行

著　　　者　石田勝紀

発　行　人　安藤拓朗

編　集　人　水木　英

発　行　所　株式会社 集英社

〒101-8050 東京都千代田区一ツ橋2-5-10
TEL　編集部：03（3230）6205
　　　読者係：03（3230）6080
　　　販売部：03（3230）6393［書店専用］

印　刷　所　図書印刷株式会社

製　本　所　ナショナル製本協同組合

定価はカバーに表示してあります。

造本には十分注意しておりますが、乱丁・落丁（本のページの順序の間違いや抜け落ち）の場合は、お取り替えいたします。購入された書店を明記して、小社読者係宛にお送りください。送料は、小社負担でお取り替えいたします。

ただし、古書店で購入されたものについては、お取り替えできません。

ISBN 978-4-08-790014-9 C0037